coordination: Louise Baillargeon

REGARD CRITIQUE
SUR LE PLACEMENT DES JEUNES ENFANTS

«... À la fin, il laissa aller sa menue face craintive
contre la manche du père.
Il leva vers lui ses yeux apeurés.
Alors, de haut en bas, de bas en haut,
passa un sourire si bref, si maladroit,
si tâtonnant,
que ce parut être le premier à passer
entre ces deux visages».

Gabrielle Roy

Gabrielle Roy, ***Ces enfants de ma vie,*** *Ed. Stanké, 1977, p. 89.*

Placer ou ne pas placer: LA NÉCESSITÉ DE COMPRENDRE

Louise BAILLARGEON

Conseillère clinique au Centre Dominique-Savio-Mainbourg auprès de la clientèle d'enfants de 0 à 12 ans, Mme Baillargeon est diplômée de l'Ecole de Psycho-Education où elle a fait une maîtrise, avant d'acquérir une formation post-graduée en psychodrame analytique et en thérapie psychanalytique. Sa grande expérience clinique, tant en centre d'accueil qu'en milieu scolaire, lui a permis de se rapprocher tout particulièrement du monde des très jeunes enfants.

Ça existe: de très jeunes enfants vivant des placements familiaux ou institutionnels.

Un petit de 15 mois erre, ses deux petites mains dans le dos, tête baissée sans un regard aux jouets ni vers les humains.

Un autre de 13 mois pleure, geignant dès qu'on le dépose. Les quatre premiers jours de son placement, il ne supporte pas de ne pas «être pris», tant il vit un désarroi sans nom.

Une troisième de trois ans sourit, chantonne et fuit moins du regard, après quelques mois de placement. Elle a même pris un peu de poids.

Quelles sont donc, dans les années 90, les réalités sociales, familiales et personnelles qui engendrent cette nécessité de placer de si jeunes enfants? Est-ce vraiment nécessaire? La douleur de la séparation n'est-elle pas plus forte que le bien-être recherché? N'y a-t-il pas d'autres manières de répondre à ces situations remplies de souffrance? Ne peut-on prévenir et ainsi éviter cette solution extrême? A quoi sert le placement, quels en sont les effets? Que vit le petit placé et qu'en est-il de ses parents?

Voici quelques-unes des questions qui surgissent inévitablement lorsqu'on aborde cette épineuse réalité du placement des jeunes enfants. Dans ce dossier, P.R.I.S.M.E. ne prétend pas répondre à toutes ces interrogations. Il s'agit plutôt de réfléchir à différentes facettes de notre pratique, de tenter d'en saisir certains éléments historiques et légaux, d'analyser les variables en cause, de cerner des enjeux, d'explorer des manières différentes de répondre aux petits, coincés dans leur douloureuse situation, et peut-être simplement, de témoigner de cette poignante réalité.

Nous avons choisi d'étaler ce dossier sur deux numéros, tant le propos est abondant et crucial pour notre milieu. Dans ce premier numéro, on aborde l'histoire et les lois de protection, on envisage le travail et l'expertise fournis par diverses instances sur le terrain, mais aussi la recherche de solutions alternatives. On y réfléchit essentiellement sur l'acte de placer: sa nécessité, ses risques parfois très lourds, sa complexité de parcours. Deux adultes, l'un, placé dans son enfance, l'autre, parent ayant dû placer sa petite, témoignent. En conclusion du présent dossier, quelques énoncés sur la réforme en cours, mais sans analyse à ce stade-ci, les structures et les programmes n'étant encore qu'en voie de se concrétiser.

Le second tome qui paraîtra l'été prochain touchera plus précisément l'impact de la séparation et ses répercussions sur les enfants aux prises avec la rupture ou l'abandon. On y abordera les effets du placement familial ou institutionnel en développant différentes voies thérapeutiques, entre autres, celle de l'éducateur et du difficile travail de la réadaptation.

***

L'état actuel des connaissances nous permet d'entrevoir de façon claire l'impact des abandons, des séparations, des négligences et des abus. On sait le développement de ces enfants entravé, leur capacité relationnelle percutée, leur avenir compromis. Même si on connaît les conditions essentielles à un devenir harmonieux, nous n'arrivons pourtant pas à enrayer la répétition transgénérationnelle qui se joue dans ces milieux. Nos pratiques morcelées et nos façons de faire, souvent sous le coup de l'urgence ou de la pression, ne risquent-elles pas d'augmenter la souffrance de ces familles, faute d'être mieux articulées ou même davantage questionnées?

Il faut voir que plusieurs facteurs influencent la réalité du réseau: un manque de ressources financières; un manque de personnel, de professionnels formés et moins débordés; un manque de continuité dans les services, mais surtout un manque de continuité des personnes offrant ces services; un manque de concertation entre les différents intervenants concernés agissant dans un tissu urbain effrité, gravement appauvri et complexifié par des changements sociaux très profonds et radicaux, vécus au cours de la dernière décennie.

On sait bien que chaque instance, seule, ne peut pas grand-chose. Educateurs, praticiens sociaux, psychiatres, chercheurs, il faut que l'on apprenne, c'est là une condition essentielle, à travailler en complémentarité pour mieux répondre. Les décisions à prendre concernant les petits et leurs familles se révèlent complexes, elles engagent leur avenir, et de manière souvent irréversible; il est donc primordial de mettre en commun nos différents savoirs, car ces enfants sont des parents de demain.

Avant de laisser chacun à sa lecture, je voudrais remercier les auteurs et les collaborateurs pour leur généreuse et riche contribution. Je tiens enfin à remercier l'équipe de P.R.I.S.M.E. pour l'occasion offerte de ce temps de réflexion et de prise de position autour d'une pratique en pleine mutation.❖

BOISVERT, G., *Éclat #12*, 1990.

HÉBERGER,CORRIGER, RÉADAPTER...

Une histoire des mesures de protection pour les jeunes au Québec

Pierre FOUCAULT

Docteur en psychologie clinique, l'auteur est impliqué depuis bientôt 25 ans auprès des jeunes en difficulté grave d'adaptation. Psychologue consultant puis conseiller aux services professionnels de l'Association des Centres d'accueil du Québec, il a participé à l'implantation du système de «justice des mineurs» mis en application au Québec au cours des années 80. Il est consultant en gestion clinique auprès des intervenants du réseau.

L'histoire des services offerts aux jeunes en difficulté au Québec est tout à la fois l'histoire d'une générosité sans faille et celle d'une pauvreté criante. Générosité qu'on observe dans le dévouement continu des très nombreuses familles qui, pendant des siècles, ont accepté d'ajouter à leurs responsabilités déjà fort lourdes la charge d'un ou de plusieurs enfants; générosité des nombreux bénévoles et donateurs qui ont rendu possible la création et le fonctionnement de nos multiples institutions; générosité souvent héroïque de multiples gens d'Eglise, de religieuses et religieux qui ont consacré leur vie à venir en aide à ces enfants «malcommodes». Générosité qui semble n'avoir d'égale que la pauvreté qui l'a rendue nécessaire. Pauvreté des familles que la mort prématurée d'un père ou du pourvoyeur plongeait plus profondément dans la misère, l'obligeant à se dessaisir de la responsabilité de ses trop nombreux enfants; pauvreté des moyens disponibles au plan matériel, mais aussi au plan intellectuel et organisationnel, qui s'est traduite rapidement dans la mise en place et le maintien d'institutions qu'il est facile de critiquer rétrospectivement.

En ce sens, on ne s'étonne guère de ne disposer que de peu de documentation sur ce sujet. Le temps disponible a été consacré, souvent jusqu'à la limite des forces des individus impliqués, au service des enfants. Le temps d'écrire et de réfléchir - qui permet la lecture critique des gestes posés - est certes essentiel au maintien de toute véritable qualité des services, mais c'est là une préoccupation de «riches», en un certain sens. La

L'auteur fait un survol de l'histoire des services de protection offerts aux jeunes au Québec, tout en réfléchissant sur leur évolution. D'abord axés essentiellement sur des initiatives individuelles, les services se sont ensuite développés dans la mouvance de textes de lois qui ont guidé leur utilisation. Cet état de fait s'est prolongé jusqu'à ce que l'implication financière de plus en plus grande de l'Etat amène celui-ci à assumer directement la dispensation des services et leur organisation. On assiste ainsi au passage progressif d'une organisation à la pièce, mais très près des besoins, à une structure unifiée et coordonnée, mais dont l'ampleur risque de l'éloigner de la nature changeante des besoins.

réaction première et compréhensible de celui ou celle qui voit un enfant dans la misère n'est pas d'écrire sur la façon de l'aider.

On trouve donc de tout dans l'histoire de nos services aux jeunes. Du meilleur et du pire. Et tous comptes faits, beaucoup plus du meilleur et relativement peu du pire, surtout pour celui qui s'assure de ne pas sombrer dans un anachronisme facile où les critères actuels de qualité des services seraient bêtement rétroprojetés sur le passé et appliqués sans nuance à des situations radicalement différentes des nôtres.

Une mise en garde s'impose encore avant d'inviter le lecteur à poursuivre. Cet essai sur le développement des services pour les jeunes au Québec est le fruit d'une réflexion clinique(1) sur l'évolution de quelques-unes de nos institutions sociales. L'auteur est un clinicien. Il n'a ni formation ou compétence particulière en Histoire ou en Droit. La lecture qu'il propose ici n'a pour but que de provoquer une réflexion plus poussée sur les conditions de tous ordres qui permettent ou qui peuvent parfois s'imposer en vue d'offrir des services de qualité. Elle ne saurait prétendre à autre chose.

I. 1608-1832: LA FAMILLE ET L'ASSISTANCE À LA FAMILLE

Il y a sans doute toujours eu des enfants en difficulté. Leur état de dépendance structurale les rend en effet particulièrement vulnérables à la moindre faille dans l'organisation des ressources nécessaires pour assurer leur sécurité ou leur développement. Il y aura sans doute toujours des enfants en difficulté. La pauvreté, la maladie, les accidents des uns, la mauvaise volonté des autres rendent nécessaires les «institutions», grâce auxquelles l'enfant doit trouver réponse à ses besoins auprès de personnes autres que ses parents, bien que ceux-ci demeurent seuls statutairement mandatés par la nature pour prendre soin de lui.

Héritiers de la structure sociale importée de France, les premiers colons disposent de la famille et de l'Hôpital Général comme structures sociales ou «institutions», pour venir en aide aux enfants en difficulté.

L'Hôpital Général est le refuge des pauvres, des personnes abandonnées et des marginaux, autant sinon encore plus que des malades à proprement parler. La fonction «hostellerie» de l'Hôpital Général apparaît d'emblée plus importante, à l'époque, que sa fonction proprement curative. On y reçoit occasionnellement des orphelins.

La famille, la famille élargie, sert en effet d'assise pendant plus de deux siècles (1608-1832) aux services pour les enfants abandonnés, orphelins, malcommodes, «délinquants» ou autres, souffrant de diverses déficiences. Souvent à la demande du curé, - lequel sert de courtier en quelque sorte - une tante, une marraine ou un voisin accueille un enfant dont les parents sont décédés, dont la famille est trop pauvre pour le garder ou dont le comportement oblige à l'éloigner pour un temps de son milieu d'origine. Une exception de taille, révélatrice autant de la force de notre tradition socio-religieuse que de ses limites: les enfants illégitimes sont exclus de ce système d'assistance. La «fille mère» n'est ni pauvre, ni abandonnée, ni déficiente: elle est «pécheresse». À ce titre, elle n'a «droit» à aucune aumône ni charité. L'Etat interviendra donc pour subventionner la nourrice chargée de son enfant. Et cela, jusqu'à ce que son travail, chez l'habitant où il sera placé entre 14 et 20 ans, permette au jeune de subvenir un tant soit peu à ses besoins. L'abbé Gonzave Poulin rapporte d'ailleurs qu'entre 1620 et 1690, un seul des 700 enfants «illégitimes» (10 par année; approximativement un par mois!) nés à Québec, sera baptisé [(2)]. Sic!

Comme l'indique encore fort à propos le rapport du Comité d'études sur l'assistance publique (1963), «la protection de l'enfance se confond à cette époque avec l'assistance aux nécessiteux». À ce titre, la «protection» à proprement parler n'existe pas encore.

On ne saurait cependant surestimer l'importance trop souvent méconnue des efforts, des sacrifices et de la charité gratuite dont des centaines de femmes (et d'hommes) ont dû faire preuve pendant des décennies pour se substituer à d'autres parents incapables d'assumer leur rôle. Leur assistance aux plus démunis demeure un des fleurons de notre organisation sociale.

II. 1832 - 1869: LES PREMIERES «INSTITUTIONS»

L'épidémie de choléra de 1832 mettra en évidence les limites du système d'assistance traditionnel, en particulier dans l'agglomération montréalaise. Seize mille morts en six mois dans une colonie qui est loin du demi-million d'habitants représente une ponction énorme. Cela signifie, en particulier, de très nombreux orphelins. Et si le milieu rural offre encore aux familles le loisir de les assumer, l'espace disponible «en ville» ne le permet déjà plus.

Nourri à la tradition séculaire d'assistance aux nécessiteux et tout à la fois inspiré par l'expérience des institutions développées depuis une quinzaine d'années par les anglophones sous l'influence du modèle organisationnel britannique[3], un groupe de «dames patronnesses» décide de construire une résidence pour abriter, jusqu'à leur majorité, ces trop nombreux orphelins que le système ne parvient plus à absorber. «On transformera ultérieurement cette résidence en hôpital lorsqu'elle ne sera plus requise pour les orphelins». Ainsi naît, en 1832, le premier orphelinat, la première institution francophone formellement réservée aux enfants. L'établissement se nomme aujourd'hui la Villa Notre-Dame-de-Grâce. C'est un centre de réadaptation pour jeunes en difficulté grave d'adaptation, sis au coin de l'avenue Côte Saint-Luc et du boulevard Décarie.

Ce premier orphelinat n'est en effet jamais devenu un hôpital, tel que l'avaient prévu ses fondateurs. L'expérience a vite montré qu'il était beaucoup plus facile de «placer» les enfants difficiles que de les assumer dans des familles déjà surchargées. La VNDG fut en fait le premier d'un grand nombre d'orphelinats, crèches et autres institutions qui devaient voir le jour dans les quelques années qui suivirent. Institutions destinées à assister les sourds et les sourdes..., les aveugles, les personnes handicapées mentalement, les filles-mères, les «délinquants», etc. Une foule d'établissements voient ainsi le jour et se développent à l'instigation de gens du terrain, selon l'inspiration, la générosité et l'habileté à quêter de leurs fondateurs.

Avec les établissements, deux éléments nouveaux s'ajoutent aux caractéristiques du système d'assistance de la période précédente: les institutions existent toujours sous le couvert de l'assistance, et la protection de l'enfance en tant que telle ne s'en distingue pas encore. Cependant,

- ces institutions sont conçues et organisées par des gens qui sont proches des enfants (bénévoles, veuves, curés, gens du terrain), et au fait de leurs besoins réels. Elles en dépendent pour tout, pour leur survie même, si bien qu'au total et par la force des choses, toute leur organisation demeure très proche des jeunes à desservir;

- ces institutions sont conçues selon un des modèles organisationnels disponibles à l'époque: l'hôpital. On y «héberge» le jeune qui reçoit la réponse à ses besoins de base - hébergement et éducation - un peu comme s'il devait y être «soigné». Eventuellement «guéri», il recevra son «congé». Il pourra, il devra s'en retourner... mais où?

III. 1869-1971: L'ACTION DE L'ETAT

Pendant 100 ans, l'action de l'Etat a, de toute évidence, beaucoup varié. De nombreuses lois qui avaient trait directement aux services à mettre à la disposition des enfants en difficulté ont été adoptées ou discutées. D'autres actions relevaient davantage de la participation financière de la société au fonctionnement des services. Dans les deux sous-sections qui suivent, on pourra observer de quelle façon l'Etat, au fil des lois et des gestes par lesquels il supporte l'action de groupes divers, a été progressivement amené à s'impliquer jusqu'au moment où il assumera seul la totalité des charges et des règles qui régissent l'organisation des services. On ne se surprendra pas de trouver divers recoupements d'une sous-section à l'autre. La vie ne départage pas toujours ce que l'esprit distingue à des fins de compréhension.

1.Les premières législations (1869-1951)

On peut avoir tendance à l'oublier, en cette fin du 20e siècle, mais le fait demeure: pendant plus d'un quart de millénaire, les enfants du Québec ont été desservis, et au total, pas si mal, sans qu'aucune loi spécifique n'ait à intervenir dans l'organisation ou la dispensation des services.

1869: La Loi des écoles d'industrie et la Loi des écoles de réforme

Toujours est-il qu'en 1869, deux lois sont mises en vigueur, la «Loi des écoles industrielles» et la «Loi des écoles de réforme». Toutes deux ont trait à la délinquance. La première veut la prévenir; la seconde cherche à la corriger. Le concept de protection de l'enfant n'existe pas encore formellement dans ces lois mais, dans les faits, l'enfant à protéger se trouve identifié par elles.

En effet, on cherche concrètement à prémunir ou à détourner de la délinquance l'enfant en difficulté. On en présente donc une définition négative: il ne doit pas devenir..., il ne doit pas être... Cette définition permet de spécifier, dans la Loi des écoles industrielles en particulier, qu'il faut être vigilant pour «les enfants orphelins, abandonnés, battus, violentés, dont les parents sont indignes, etc.». On ne «protège» pas encore l'enfant en difficulté au sens où nous l'entendons, mais il est identifié et on cherche à l'empêcher de sombrer dans la délinquance. Il s'agit donc d'un pas important dans la bonne direction. Cependant, à cause des conditions de l'époque, ces lois souffrent d'un double handicap dont les conséquences sont encore perceptibles: l'absence de modèle spécifique d'organisation pour l'intervention projetée et le positivisme scientifique qui sert de cadre conceptuel à la compréhension de la situation de l'enfant à aider.

On aura remarqué que ces deux lois réfèrent à la notion d'«école». Conçue à l'origine comme un hôpital pour «recevoir, loger, nourrir et entretenir» les enfants en difficulté, l'institution atteint vite sa limite. Un enfant, fut-il en difficulté, attend en effet davantage que la simple réponse à ses besoins de base. Son développement n'est pas moins important que sa sécurité. Or, l'école est un des moyens pour favoriser le développement, et déjà à cette époque, le plus largement connu et le plus répandu. Confrontée à la carence des fonctions parentales auprès de ces enfants, notre société ajoute donc l'«école» à l'«hôpital» comme substitut, sinon comme palliatif à «l'absence», aux carences de leurs parents. Le modèle d'intervention qui serait spécifique à leurs besoins n'est pas encore disponible.

1906: La Loi des jeunes délinquants

Avec sa «Loi des jeunes délinquants» (LJD) de 1906, le gouvernement fédéral officialise que c'est le fait d'être «mal éduqué, mal élevé» qui conduit à la «délinquance». Délinquance dont la très large définition va du meurtre au fait de ne pas écouter ses parents, en passant par l'absentéisme scolaire, la fugue, le vol, la tentative de suicide et... le non-respect des règlements municipaux! Cette loi s'applique en outre à tout enfant âgé de 7 à 21 ans. Telle qu'elle est formulée, peu de jeunes Canadiens auront pu franchir cette période de leur développement sans, à un moment ou un autre, être passibles de l'application de cette Loi. De ce seul fait, et malgré qu'elle ait été régie par le Fédéral, il s'agit bien sans qu'on le dise encore, d'une loi de «protection»: protection de l'enfant et protection de la société y sont cependant confondues.

Appliquée pendant plus de 75 ans, le plus souvent avec sagesse et bon sens, par des juges à qui le législateur confie à toutes fins utiles le rôle de «bons pères de familles», substituts de ces parents indignes, incapables ou disparus qui sont la «cause» des difficultés de leur enfant, la LJD aura permis d'aider nombre de jeunes en situation de protection autant que de délinquance. Car l'enfant, en vertu de cette loi, «ne doit pas être considéré comme un criminel, mais comme un enfant ayant besoin d'aide, de conseil et d'assistance». Beaucoup de jeunes en difficulté ont échappé, grâce à cette Loi, au monde carcéral adulte et ont pu, grâce à l'action de leur juge, avoir la chance de trouver quelqu'un en mesure de les aider. Car, dans la logique qui sous-tend la LJD, il suffit en effet, du moins le croyait-on, de supprimer la cause du problème pour le voir disparaître. L'importance du lien affectif qui unit tout enfant à ses parents et qui est indispensable pour lui permettre de réagir positivement à leurs actions éducatives était connue; il n'était pas pour autant reconnu dans cette loi.

Le point faible de cette législation, (et nous en portons encore les conséquences), était à l'évidence la déresponsabilisation du jeune «délinquant» et aussi celle de ses parents auxquels l'Etat substituait le juge «bon père de famille» et ceux qui intervenaient sous le chapeau de son ordonnance.

1951: La Loi de la protection de la jeunesse [4]

Lorsqu'en 1951 le Québec adopte la «Loi de la protection de la jeunesse», il reprend, pour l'essentiel, - mais cette fois en formalisant le concept de protection -, les mêmes principes philosophiques qui sous-tendaient la LJD: juge substitut aux parents indignes, déresponsabilisés et exclus, causes de tous les problèmes de leurs enfants, etc.

1951: La Loi des écoles de protection

En même temps, Québec adopte la «Loi des écoles de protection» qui abroge les deux vieilles lois de 1869 sans renouveler toutefois le modèle «scolaire» qui les sous-tendait. L'«école» demeure le modèle d'organisation des services pour les enfants en difficulté.

Avec les premières législations, les gestes dont il fallait protéger l'enfant sont globalement bien identifiés; il s'agit d'un progrès important et notable. Avec les législations du milieu du siècle, les moyens pour y remédier n'ont pas beaucoup évolué. Ils auraient pu évoluer. Ils l'auraient dû. La pauvreté de la pensée joue ici un rôle et il en résulte un handicap dont tout le réseau de services aux jeunes demeure aujourd'hui encore tributaire.

2. L'implication financière de l'État: (1921-1971)

Le «per diem»

Ils auraient dû évoluer, car avec la «Loi de l'assistance publique» de 1921, l'État était déjà depuis 30 ans intervenu beaucoup plus directement dans la subvention des services, en dotant notamment les enfants institutionnalisés d'un «per diem». Jusqu'à cette date, l'aide occasionnelle de l'Etat se manifestait davantage sous forme de subventions à la pièce, données à des institutions spécifiques. Mais les suites «récessionnaires» de la grande guerre ayant été particulièrement difficiles, tant pour les familles, privées de leurs pourvoyeurs (décès ou chômage), que pour les institutions, la charité publique ne suffisait plus à les alimenter. Cette Loi permettait donc à l'institution de toucher chaque jour quelques sous pour chaque enfant reçu... La sécurité qui en résulte est importante.

Mais le piège était tendu. Avec la sécurité liée à la régularité des revenus, le «loup» entre dans la bergerie. Jusqu'alors, les services avaient été développés à l'initiative de gens du terrain et maintenus à coup de quêtes et de subventions obtenues en faisant la promotion des besoins spécifiques des enfants. Certains services pourront progressivement (et malgré les apparences) devenir liés davantage à l'institution qui les dispense qu'aux enfants qui les reçoivent. La distinction est de taille: la tentation de desservir des enfants, plus d'enfants, toujours plus d'enfants pour s'assurer de revenus plus grands était forte. On n'y a pas toujours échappé. Les besoins réels des enfants auront pu quelquefois s'en trouver occultés.

«L'institution sans murs»

«L'institution sans murs», l'ancêtre de nos familles d'accueil émerge en réaction à ce qui précède. Entre les deux guerres, les praticiennes sociales utilisent les «per diem» liés aux enfants et destinés aux établissements qui les hébergent pour subventionner des familles qui peuvent les garder. Au-delà des institutions en effet, plusieurs intervenants de terrain, (encore eux!) savent plus ou moins d'instinct mais avec conviction, qu'un enfant doit vivre dans une famille pour se développer de façon adéquate. L'institution, surtout lorsqu'elle reçoit un grand nombre d'enfants, plus encore s'il s'agit de grands groupes, assure sans doute bien la «sécurité» des enfants. Dans ces conditions toutefois, elle se révèle incapable de pourvoir à leur «développement», à tout le moins au plan affectif. Cette limite n'a pas été corrigée par les lois des années '50.

1944: La Loi de la protection de l'enfance

Sous l'influence de ces mêmes intervenants, le gouvernement du Québec en vient à adopter, en 1944, la «Loi de la protection de l'enfance». Cette Loi reconnaissait notamment le besoin de l'enfant de vivre dans une famille. Elle créait une commission de la jeunesse, une direction de la jeunesse et elle resituait le rôle de l'Etat par rapport aux instances de services. Cette Loi ne sera jamais mise en vigueur, par suite de «pressions privées» [(5)] et d'un changement de gouvernement. La «protection» de l'enfance y aurait pourtant trouvé des assises importantes qu'il faudra près d'un demi-siècle pour voir réapparaître dans nos législations. Le Québec a pris alors un retard regrettable que les enfants en difficulté ont dû assumer.

La Loi sur les Services de Santé et les Services Sociaux

De plus en plus sollicité et, avec la Révolution tranquille, directement amené au début des années '60 à assumer la plus grande partie des frais liés à la dispensation des services, l'Etat institue au milieu des années '60 la Commission Castonguay-Nepveu, en vue de se donner les outils d'une rationalisation de son action à cet égard. La «Loi sur les Services de Santé et les Services Sociaux» (L-SSSS) de 1971 en ressort. Le Ministère des Affaires sociales (MAS) en assume l'application.

Pour la première fois, la «dispensation des services» au Québec est régie par une loi. En ce qui a trait tout particulièrement aux enfants en difficulté, il faut reconnaître que cette loi demeure relativement décevante. Qu'on observe les structures nouvelles des CLSC, le regroupement des services sociaux diocésains sous les CSS ou le regroupement - sous le vocable de «centre d'accueil» - de l'ensemble des institutions existantes pour les jeunes, il faut reconnaître le caractère très fortement «hostellerie» de toutes les définitions de clientèles, et surtout des définitions de services à leur offrir. Tout se passe comme s'il n'existait pas chez nous de façon suffisamment valable de venir en aide aux enfants pour faire force de loi. On revient donc d'instinct au modèle hospitalier, au schème de l'hébergement «loger, nourrir, garder, entretenir, garder sous observation ou en cure fermée, etc.» tel qu'énoncé dans la loi, pour décrire ce qui doit être fait pour les enfants en difficulté.

Certaines institutions et nombre de praticiens faisaient déjà beaucoup plus qu'«héberger» ou «soigner» les jeunes: ils n'auront pas trouvé dans cette loi la reconnaissance sociale de leurs efforts pourtant remarquables au service des enfants en difficulté. Les autres n'y auront pas trouvé l'inspiration ni la motivation nécessaires à des changements qui s'imposaient.

La Loi de 1971 aura eu le grand mérite, en y imposant un début d'organisation, de rationaliser un ensemble plus qu'hétéroclite de services, créés au fil des ans, sans toujours la planification ni l'analyse réelles des besoins qui auraient été requises. Elle aura eu toutefois l'inconvénient d'éloigner à tout le moins et, dans certains cas, de couper complètement les décideurs et les gestionnaires des gens du terrain, de ceux qui connaissent les enfants parce qu'ils partagent et vivent leurs difficultés quotidiennement. La crise ne pouvait manquer d'éclater.

IV. 1971-1992: L'IMPLICATION GÉNÉRALISÉE DE L'ÉTAT

Nous n'ignorons pas les importants conflits de travail survenus à répétition au début des années '70. Ils ont radicalement transformé, pour l'Etat et pour les employés, l'esprit de bénévolat, de charité, de service et de don de soi qui caractérisait le travail de plusieurs des personnes oeuvrant auprès des enfants, au Ministère comme dans les établissements. Une crise survenue au début de 1975 nous servira ici à illustrer plus concrètement l'action de l'Etat sur les services aux jeunes en difficulté durant cette première partie de la période.

Le Comité Bathsaw sur les centres d'accueil pour mésadaptés

En février '75, un comité présidé par M. Manuel Bathsaw reçoit le mandat de faire enquête sur l'ensemble des établissements pour jeunes, par suite de difficultés réelles relevées dans certains établissements, mais qui furent montées en épingle, comme trop souvent, par une presse plus que complaisante.

Relues avec soin plus de 15 ans après leur publication, les recommandations du «rapport Bathsaw» impressionnent encore par leur caractère «visionnaire». Le Centre d'Accueil pour enfants ne peut pas être un simple lieu d'hébergement. Il se doit «d'offrir à l'enfant qu'il dessert *la gamme complète* des services» auxquels il *a droit* pour assurer son développement, au titre desquels l'éducation et l'intégration sociale qu'elle rend possible apparaissent prioritaires.

Le comité aura eu le grand tort d'avoir raison. Son rapport faisait un portrait de la situation générale des institutions et des moyens à mettre en place pour venir en aide plus adéquatement aux enfants en difficulté. Globalement, il le faisait bien et il était fondamentalement positif. Rétrospectivement, son influence aura été déterminante sur l'évolution de l'ensemble de notre structure de services. Il fut cependant d'abord mal reçu parce qu'il avait été élaboré en marge[6] et, à certains moments, contre ces institutions elles-mêmes, certains «décideurs» haut placés ayant préalablement décidé, Massachusetts oblige[7], qu'elles devaient disparaître.

Les grands débats d'idées

Ces années décisives sont aussi celles où ont pris place les grands débats qui, coup sur coup, vont amener l'adoption de la charte québécoise des droits et libertés, où l'enfant est reconnu comme sujet de droits; les modifications conséquentes au Code civil, où l'égalité des parents et leur responsabilité commune à l'égard de la réponse à donner aux besoins de l'enfant sont affirmées; l'adoption en 1977 et la mise en application en 1979 de la Loi *sur*[8] la Protection de la Jeunesse (LPJ), où l'enfant en difficulté est reconnu, conformément aux lois déjà adoptées, comme sujet de droits, et de droits spécifiques parce qu'en difficulté, notamment celui de recevoir de ses parents ce qui est requis à sa sécurité et à son développement.

1977: La Loi sur la protection de la jeunesse (LPJ)

L'Etat venait tout à la fois proclamer le «droit de l'enfant à la protection» et imposer des limites importantes à son action intrusive dans la vie des familles. De substitut parental qu'il était depuis près de 75 ans, il devenait supplétif à l'action déficitaire des parents. C'était un changement radical, un virage cap pour cap, qui marque encore très profondément toute notre structure de services.

Au-delà de la «plomberie» mise en place pour donner suite à ces discussions et qu'il serait trop long de décrire ici, notons seulement que, pour des motifs divers, la LPJ récupérait sous le chapeau de la «protection» tous les enfants en difficulté, même les délinquants les plus «chevronnés», consacrant une fois encore la déresponsabilisation du jeune «agissant», inscrite dans la Loi fédérale de 1906 toujours en vigueur.

Que l'implantation de la LPJ se soit faite à partir de la notion de «droits de l'enfant» n'est pas en soi un vice. Mais il faut voir que cette implantation s'est faite sans tenir compte du nécessaire équilibre que toute notion de droit doit établir avec les notions associées d'obligation et de devoir, pour l'enfant comme pour l'adulte, et pour un délinquant aussi bien que pour tout autre. Ce fait à lui seul suffit à montrer que les meilleures bonnes volontés, détachées du «terrain», isolées de ceux qui vivent avec les enfants au jour le jour, peuvent errer, même en parlant de droits.

1984: Loi sur les jeunes contrevenants et modifications à la LPJ

De nombreux débats ont découlé[9] de ces façons de faire et ils ont conduit à des modifications de la LPJ, à l'occasion de la mise en vigueur par le gouvernement fédéral, en avril 1984, de la Loi sur les Jeunes Contrevenants (LJC) en remplacement de la vieille LJD. Fructueux au total, malgré leurs longueurs et leur verdeur à certaines heures, ces débats auront permis, comme jamais auparavant, d'impliquer de plus en plus dans le processus même de décision les acteurs du système. Le résultat fut à la mesure des efforts consentis.

Informé, consulté et invité à collaborer dans la mouvance des décisions déjà prises, le réseau confirme sans ambages les orientations fondamentales de la LPJ - droits de l'enfant, primauté des responsabilités parentales, intervention minimale de l'Etat -, et il supporte pleinement le besoin de deux législations distinctes pour le traitement de la «délinquance» et celui de la «protection». Il souscrit aussi quasi unanimement à l'esprit qui sous-tend la LJC: responsabilité modulée du jeune face à ses gestes, prise de responsabilité qui doit être, pour l'adulte, l'occasion d'amener le jeune contrevenant à assumer concrètement le lien senti de responsabilité qui le lie à ses actes et à leurs conséquences, en particulier, auprès de ceux qui en sont victimes.

L'idéal était élevé et bien formulé. Tout était en place pour une nouvelle étape des plus prometteuses.

Les suites de la mission d'implantation de la LJC

A quelques notables exceptions près, force nous est de reconnaître que la structure permanente de consultation qui avait conduit à ces résultats n'a pas survécu à la mission d'implantation de 1985. Chacun est retourné vaquer à ses affaires, appliquant les lois comme il le croyait légitime, sans toujours tenir compte ni même pouvoir réaliser l'impact de ses décisions sur ses partenaires d'intervention.

Par exemple, les très remarquables efforts du Ministère de la Santé et des Services Sociaux pour se donner, avec son réseau, une façon commune de comprendre et d'appliquer la LPJ avec «le Manuel de référence sur la LPJ», se sont faits sans la participation ou avec une implication minimale des instances juridiques (policiers, avocats, magistrats et ministère de la Justice), dont l'action est pourtant déterminante pour une application cohérente de la loi et une protection significative des enfants. Les multiples débats de mots dont le réseau est l'objet aujourd'hui auraient quand même eu lieu, mais on peut penser qu'ils se seraient faits de façon plus ordonnée et plus productive, loin du terrain où ils prennent trop souvent la forme de vaines luttes de pouvoirs entre intervenants de divers «établissements».

C'est ainsi que de très réels problèmes d'articulation des pratiques, mis en lumière notamment par la question toujours cruciale des «listes d'attente», ont été étudiés et analysés pendant des heures par des groupes de travail fort qualifiés, mais d'où étaient «absents» les intervenants d'autres réseaux de services. La concertation aurait pu, sinon empêcher, à tout le moins mettre en lumière que certaines des solutions avancées allaient déplacer les listes d'attente vers la prise en charge, sans diminuer pour la peine la pression constante à l'entrée. La solution à ces difficultés n'est pas encore trouvée.

C'est ainsi encore que, l'évolution tangentielle du reste du pays aidant, l'application de la LJC est en train, en particulier avec les derniers amendements mis en application, de transformer en une loi punitive et carcéralisante - «a baby-criminal-code»- une pièce législative où un cadre juridique précis et rigoureux devait servir d'assise et de soutien à une action sociale, limitée certes, mais néanmoins proclamée comme fondamentale. Que les intervenants du terrain soient en train de cesser de croire à cette loi comme instrument significatif d'intervention sociale devrait suffire à nous alarmer.

Il faut voir par ailleurs que regroupés par le MSSS pour se donner un cadre de référence sur l'organisation et l'orientation de leurs services[10], les centres de réadaptation ont énoncé avec le concours actif de leurs partenaires des CSS, des DPJ et des Conseils régionaux, des orientations que le législateur vient de consacrer en en faisant le texte même de sa nouvelle Loi sur les Services de Santé et des Services Sociaux de 1991. Une fois encore, le travail consensuel d'intervenants-terrain donne des résultats probants.

En effet, 1991 voit l'adoption, et 1992, la mise en application progressive d'une L-SSSS refondue et profondément modifiée, inspirée par les orientations ministérielles issues du rapport de la Commission Rochon. La nouvelle loi restructure profondément les modalités de services. Elle le fait selon une formule d'abord conçue pour les services de santé et qui, les aléas de la politique aidant, s'appliquera surtout aux instances sociales du réseau. Le modèle propre aux services sociaux n'est pas encore là.

A première vue, cette loi a le grand mérite de «forcer» la coordination, la complémentarité et l'interaction de structures de services qui en parlaient souvent beaucoup, sans toujours disposer des outils pour y arriver. Elle crée les structures qui pourront unifier les façons de faire et les organisations sous-jacentes, multipliant d'autant les chances d'intervenir plus efficacement et à meilleur coût pour venir en aide aux enfants. Ce sont là des acquis des plus importants. La question de l'efficience demeure cependant entière, aucune loi n'ayant de recours à cet égard. Seules la pratique et nos façons de l'appliquer diront, en effet, si elle permet d'offrir vraiment à l'enfant en difficulté le bon service au bon moment.

V. 1993 ET SUIVANTES: PROSPECTIVES

On ne peut ignorer qu'en 10 ans à peine, nos «institutions sociales» pour les enfants en difficulté ont vu changer complètement les trois cadres législatifs qui balisaient leur action, et dans certains cas depuis plus d'un siècle. En guise de conclusion prospective, peut-être serait-il utile de rappeler à quelles conditions il nous semble possible que les prochaines années, si elles obéissent aux mêmes règles que les quelque 300 précédentes, puissent permettre de concrétiser un tant soit peu les immenses attentes traduites par nos lois et les efforts consentis pour les implanter. Nous en énoncerons trois.

1. L'action doit demeurer centrée sur les enfants et sur leurs besoins de services.

Au-delà des mots et des formules politico-médiatiques qu'on peut en tirer, la nouvelle structure de services ne donnera de résultats significatifs que si elle demeure centrée exclusivement sur les enfants et sur leurs besoins réels de services.

On peut penser en effet que la structure mise en place ne trouvera son efficacité clinique que si elle traduit une pensée et une façon communes non seulement d'organiser et de poser des gestes, mais de déterminer leur finalité, les objectifs cliniques à poursuivre pour y arriver et les normes à utiliser pour en mesurer la réalisation et les évaluer. Cela ne saurait se faire sans le développement d'un minimum de langage commun entre les intervenants d'abord, avec leurs gestionnaires ensuite, et au niveau provincial, dans la mouvance de ce que la base aura retenu comme opérationnel. À cet égard, le défi demeure presque entier.

Il suffit, pour demeurer dans une expectative prudente à tous égards en ce qui a trait à l'application de la nouvelle L-SSSS, de se rappeler de quelle façon une déclaration de principes parmi les plus limpides qu'on puisse trouver, n'a pas empêché la LJC de «sombrer» petit à petit dans un juridisme étroit et cliniquement desséchant pour les enfants concernés, faute d'entente entre les instances en cause quant à ce qui doit être fait pour les aider vraiment à l'intérieur du cadre légal défini et justifiant l'intervention.

Dans le passé, une des voies qui a permis de tendre vers cet objectif fut de «garder» le processus de décision très proche des intervenants-terrain. On peut penser que cette façon de faire demeure efficace.

2. L'action doit se fonder sur un modèle d'intervention adapté à la compréhension des besoins spécifiques auxquels il faut répondre.

La structure de services mise en place par nos trois lois ne donnera sa mesure et ne sera efficace comme véhicule d'organisation des services que si elle repose sur un modèle commun de réponse aux besoins des enfants, modèle qui ne sera efficace que s'il est rigoureusement adapté à la réalité spécifique de ces besoins.

Or ces besoins changent. Ils évoluent beaucoup plus vite que nos lois, que les modalités organisationnelles qui en découlent et que nos modes de pratique eux-mêmes. Définir, ne serait-ce que sommairement et de façon consensuelle entre tous les intervenants impliqués, les paramètres fondamentaux de l'action sociale auprès des jeunes en difficulté, qu'elle soit le fait du travailleur social, de l'éducateur, du juge, de l'avocat, du policier ou de n'importe quel autre intervenant, serait déjà une aide précieuse pour fonder *la continuité et la stabilité des interventions indispensables au maintien de toute véritable qualité des services* offerts par notre société aux jeunes en difficulté.

On peut se rappeler avec intérêt que des structures parmi les plus savantes mises en place au cours de notre histoire, sans jamais préjuger de la meilleure bonne volonté de tous, ont dû être écartées, notamment parce qu'elles ne tenaient plus compte des besoins réels des enfants à desservir.

Certains des premiers débats entourant la «défense» des modes de pratique de chacun, selon la lecture qu'on peut faire des nouveaux mandats confiés aux diverses instances de services définies par la L-SSSS, incitent à penser qu'il y a là urgence en la demeure.

3. La gestion de l'action, la gestion des services doit être clinique.

Au-delà des exercices nécessaires, longs et difficiles qui conduiront au langage, à la pensée et au modèle communs, on peut penser que les prochaines années verront la réussite ou l'échec de la mise en place de la nouvelle structure de services, selon que le réseau réussira ou non à «échapper», dans sa dynamique d'intervention, au cadre légal à l'intérieur duquel il existe et auquel il devra continuer de se plier.

La loi, les lois, tout comme les organisations qui en découlent, ne sauraient être des fins en soi. Ce ne sont que des moyens au service de... mais de quoi exactement? Ici, c'est toute la priorisation des besoins, une fois ceux-ci nommés, et l'investissement à y consacrer selon nos disponibilités sociales, qui doivent être élaborés ensemble. Il faudra en outre le faire dans le contexte des deux conditions précédentes, pour qu'à terme, nos lois et les structures mises en place à grands frais puissent donner toute leur mesure.

A titre d'exemple, on peut douter du bien-fondé de la tendance quasi généralisée d'exiger des preuves presque «hors de tout doute raisonnable» avant de reconnaître comme compromis la sécurité ou le développement d'un enfant prétendument abusé sexuellement. La LPJ rend pourtant possible de venir en aide à un enfant abusé sans *se prononcer sur les suites pour l'abuseur, ni même sur l'identité* de l'abuseur éventuel. La pratique tant légale que sociale ne doit pas invalider cette possibilité et priver l'enfant de son droit à être protégé efficacement. La gestion de l'action doit ultimement rejoindre l'individu à protéger.

A titre d'exemple encore, on peut regretter que *le développement* d'un très jeune enfant puisse être mis en cause et que notre façon d'appliquer la LPJ actuellement ne nous permette pas d'intervenir à temps. Les soins de base étant offerts, sa *sécurité* n'est pas compromise, alors qu'on sait qu'avec les tout-petits, il faut pousser l'analyse et dépasser ce niveau d'observation pour s'assurer que l'enfant reçoit vraiment les stimulations appropriées à un développement minimal. Lorsque plus tard les troubles de comportements réactionnels s'imposeront, c'est un univers de souffrance, et du parent et de l'enfant, qu'il faudra tenter de résorber à grands frais et avec un bien moins bon pronostic. Or, à ce stade du développement de l'enfant, la preuve à donner ne peut être que clinique, et inévitablement contestable... mais à trop vouloir s'en tenir aux seules règles de droit, on risque d'abandonner l'enfant à son sort et de reporter le problème en l'enfermant dans le placard. La gestion de la loi elle-même doit rejoindre l'individu en cause.

Un dernier exemple, la loi pose comme un impératif la responsabilité du parent de répondre aux besoins de son enfant, et reconnaît le droit fondamental, pour ce dernier, de recevoir de ses parents les moyens de répondre à ses besoins. Or, certains parents ne le peuvent pas; d'autres ne le veulent tout simplement pas. L'enfant en paie le prix et c'est sa protection qui est en cause. Le plus souvent, c'est sa vie elle-même qui en sort brisée.

Pour des motifs qui tiennent autant de notre culpabilité sociale que d'une compréhension trop étroite de nos lois, on fait des droits fondamentaux ci-haut énoncés des finalités qui tiennent lieu d'intérêt de l'enfant. Or c'est sa protection, sa sécurité et son développement, son intérêt qui sont les finalités, le reste, tout le reste, même ses droits, ne sont que des moyens... L'adoption et la déchéance parentale pourraient avec profit pour certains enfants, sans redevenir les panacées d'autrefois, retrouver leur sens et leur portée. Notre gestion de l'action sociale doit dépasser nos préjugés et rejoindre l'enfant à protéger.

Il pourrait y avoir beaucoup d'autres exemples...

La relecture intégrée des multiples rapports cités plus haut offrirait une bonne idée des nombreux paramètres cliniques à prendre en considération pour garantir une priorisation des actions à poser qui soit simplement conforme à toute la réalité des enfants à aider, et non seulement à une lecture de leurs droits.

Conclusion

Le temps est à l'évidence définitivement révolu où l'institution était régie par un «homme» seul, penseur, définiteur de besoins et responsable de trouver les ressources pour la faire fonctionner sa vie durant. Mais le temps semble maintenant venu pour l'Etat qui a pris la relève, de retrouver, dans la dynamique même des services qu'il a créés, les mêmes facteurs d'unité, d'efficacité et de proximité de la vie quotidienne qui ont fait la force de nos institutions sociales pendant des décennies, et que les vingt dernières années ont quelquefois mis en veilleuse, sans vouloir les ignorer.

On peut espérer à bon droit que les acquis importants issus de la normalisation des services par leur intégration dans une structure définie, identique pour tous, seront maintenus. Ces acquis permettent sinon de faire disparaître, à tout le moins de diminuer les écarts inévitablement liés à tout régime autocratique, petit ou grand. En ce sens, par exemple, l'intervention de l'Etat n'aura pas fait disparaître, dans nos institutions, la possibilité de voir survenir des situations d'abus de pouvoir. Elle aura cependant imposé des conditions telles que, si elles apparaissent, ces situations ne soient pas occultées, mais arrêtées et corrigées dans les meilleurs délais. La rumeur publique, bien servie en cela par la presse à sensation, pourrait laisser croire que les années passées furent des années de ténèbres à cet égard. Il n'en est rien. Il y a très probablement eu dans le passé des situations inacceptables dans nos institutions, mais pas plus pas moins, toutes proportions gardées, qu'il n'y en a actuellement. Pas plus pas moins qu'il n'y en avait dans nos familles à l'époque. La différence tient dans le fait que les règles pour les traiter et les corriger n'existaient ni dans les familles, ni dans les institutions. Elles existent maintenant.

Il faut aussi espérer que les «lourdeurs» organisationnelles inhérentes à toute grosse structure ne continueront pas d'augmenter au point d'absorber une énergie dont les dispensateurs de services directs à la clientèle ne sauraient se passer. Quelques signes encourageants apparaissent ça et là, selon les régions. Il faut s'en réjouir et s'y attacher car, ultimement, seuls demeurent les enfants en difficulté, leurs besoins et notre obligation d'y trouver réponse. Demeureront peut-être aussi leur souffrance et celle de leurs proches, selon que nous aurons ou non réussi à relever ce magnifique défi.❖

The history of youth services in Quebec is described with a special focus on legislations, as they are discussed by the author. Beginning with the remarkable effort of many families whose responsability in foster care constituted the core of services for centuries, the organization of child welfare gradually stood by the orientations given by several laws as they were voted to regulate the use of services. The progressive financial implication of government bound him to become more and more involved in the dispensation as well as in the organization of services. Advantages and difficulties linked with either formulas are discussed.

Notes

1. La première version de cette réflexion a été présentée lors d'un atelier du Congrès «25 ans de réadaptation» organisé par le Centre de réadaptation l'Etape de Val d'Or, au printemps 1992.
2. Rapport du Comité d'étude sur l'assistance publique, Québec, 1963, p. 18, no. 6.
3. Rétabli en 1774, suite à la conquête anglaise, le droit civil français aura permis la survie de nos structures sociales. L'organisation sociale d'origine britannique qui fait reposer sur la municipalité (plutôt que sur la paroisse) l'organisation des services s'est cependant superposée à la structure existante, notamment là où le nombre des Anglophones le justi... le facilitait.
4. L'actuelle Loi sur la protection de la Jeunesse (1977) se distingue par son nom, maintenant en français correct, de la Loi de la protection de 1951.
5. Le fait que la composition de la Commission prévue ait été «mixte» au plan de la provenance religieuse de ses membres aura suffi pour faire écarter cette loi... Il serait sans doute mesquin de penser que «certaines institutions» aient pu aussi y voir une menace à leurs sources de revenus; aussi, ne le ferons-nous pas.
6. Il demeure difficile de comprendre comment une telle enquête a pu être faite sans qu'aucun des membres du comité chargé de la mener à bien ne provienne des institutions mises en cause!
7. L'expérience toute récente et survalorisée de cet état américain où on avait fermé toutes les institutions pour jeunes suscitait alors beaucoup de fantaisies... La réalité a, depuis, repris ses droits.
8. Voir note no. 3.
9. Plusieurs centaines d'heures de travail en comités et en sous-comités, plusieurs milliers de pages de documents, de recherches et de travaux de tous ordres ont été consentis en quatre ans par les membres de la Table centrale de coordination et de concertation qui regroupait des représentants de la Justice et des Affaires sociales. Leurs travaux ont très largement inspiré les conclusions de la Commission parlementaire itinérante sur la protection généralement connue sous le nom de son président, J.P. Charbonneau.
10. Compte tenu de leur obligation d'appliquer simultanément deux et souvent même trois lois (L-SSSS, LPJ et LJC) à nombre de jeunes qu'ils desservent, ces établissements doivent assurer une coordination toute particulière de leur action.

Références

Beaupré L. **L'influence d'une institution sur cinquante enfants**. [Thèse de doctorat] Montréal: Ecole de service social, Université de Montréal, 1949.

Bertrand JM. **Evolution historique des services à l'enfance**. [Texte miméographié d'une conférence].

Boyer R. **Les crimes et les châtiments au Canada français du XVIIe au XXe siècle.** Montréal: Cercle du livre de France, 1966.

Foucault P. **Aider malgré tout: essai sur l'historique des centres de réadaptation au Québec.** Montréal: Editions de l'Association des centres d'accueil du Québec, 1984.

Gaillarc H. **Les maisons de correction 1830-1945.** Paris: Cujas, 1971.

Laski HJ. **Introduction à «De la démocratie en Amérique par Alexis de Tocqueville»**. (Oeuvres complètes, tome I). Paris: Gallimard, 1961.

Lecavalier M. La délinquance, un problème. **Service social** 1955;5(2).

Lombroso C. **L'uomo delinquente.** Rome: Napoléon Ed., 1876. (Réédition: 1975).

Québec. **Commission d'assurance maladie du Québec - Rapport.** 1944.

Québec. **Commission Tremblay - Rapport.** 1956.

Québec. **Commission Bédard - Rapport.** 1962.
Québec. **Commission Parent - Rapport.** 1962.
Québec. **Commission Boucher - Rapport.** 1963.
Québec. **Commission Castonguay-Nepneu - Rapport.** 1971.
Québec. **Commission Prévost - Rapport.** 1971.
Québec. **Comité d'étude sur la réadaptation des enfants et des adolescents placés en centre d'accueil - Rapport.** 1975.
Québec. **Commission Charbonneau - Rapport.** 1982.
Québec. **Commission Rochon - Rapport.** 1988.
Roy JL. **La marche des Québécois: le temps des ruptures (1945-1960).** Ottawa: Leméac, 1976.
Rumilly R. **Boscoville.** Montréal: Fides, 1978.
Soeur St-Michel Archange. **L'institution et le développement social de l'enfant.** [Thèse] Montréal: Ecole de service social, Université de Montréal, 1950.

BOISVERT, G., *Éclat #7*, 1990.

NE TIREZ PAS SUR LE «PLACEUR»!

Claude BILODEAU

L'auteur est psycho-éducateur de formation. Il a occupé jusqu'en juin 1993 la fonction de directeur de la protection de la jeunesse au Centre de services sociaux de Montréal métropolitain. Il est maintenant directeur général de l'Association des centres jeunesse du Québec, qui regroupe les Centres de protection de l'enfance et de la jeunesse et les Centres de réadaptation pour jeunes et pour mères en difficulté d'adaptation.

«On place trop. On place mal. Pire encore, on déplace à tout bout de champ, ballottant les enfants d'une famille d'accueil à l'autre, sans compter les allers et retours entre les milieux substituts et la famille naturelle... Pourquoi ne pas aider plutôt les parents? Après tout, pour l'enfant, un parent naturel, même imparfait ou inadéquat, sera toujours préférable à un parent substitut. La preuve? Prenez la popularité des «retrouvailles»... »

Depuis quelques années, le placement d'enfants a mauvaise presse. Et dans ce procès où les procureurs abondent, ceux qu'on pointe le plus souvent du doigt sont les professionnels des services sociaux et du secteur judiciaire à qui revient la très lourde responsabilité de prendre les décisions qui assureront la protection des enfants. à écouter certains témoignages, ce n'est pas de protection et de placement qu'il conviendrait de parler, mais de rapt et d'enlèvement...

Certes, ce questionnement a du bon. Une société ne doit en effet jamais se désintéresser d'une intervention aussi radicale et lourde de conséquences que le retrait d'un enfant de son milieu familial. En ce sens, les raccourcis de pensée et les excès de langage à l'endroit des «placeurs d'enfants» seront toujours préférables à l'indifférence de la population ou à la banalisation de ce geste.

Il est nécessaire de s'interroger sur le placement d'enfants, à condition que cette remise en question n'en vienne pas à confondre le mal et le remède. Le placement demeure un outil essentiel pour assurer la protection de certains enfants et remédier à de graves carences parentales. La décision de retirer - temporairement ou définitivement - un enfant de son milieu familial n'est qu'un élément d'une stratégie globale pour assurer à l'enfant un développement normal et lui permettre de réaliser son propre projet de vie.

L'auteur aborde au cours de sa réflexion plusieurs des questions qui entourent cette décision de placer: Quels sont les critères et les balises qui assureront une prise de décision éclairée? Comment cerner les besoins de l'enfant et lui permettre de les exprimer? Comment mesurer et soutenir les capacités des parents, comment tenir compte des différents intérêts des autres acteurs impliqués: professionnels, familles d'accueil, établissements? Quelles conditions mettre en place pour assurer le succès de cette décision et de la stratégie dont elle fait partie?

La remise en question est donc la bienvenue, et doit être encouragée, à condition que ses prémisses ne soient pas complètement faussées et que le réquisitoire s'appuie sur une certaine connaissance de la réalité. Déplorer les trop nombreux placements d'enfants au cours d'une conversation de salon, c'est une chose. Avoir à décider si un enfant de cinq ans a intérêt à demeurer avec sa mère toxicomane et son père agressif, c'en est une autre. On a beau adhérer fermement au principe de la primauté parentale, des parents qui agressent leurs enfants, qui négligent de pourvoir à leurs besoins physiques ou affectifs élémentaires, qui ont abdiqué toutes responsabilités, cela existe. Il serait donc peut-être temps que le débat engagé autour du placement des enfants distingue clairement ces deux registres : celui de la compassion ou du scandale, manifestés la plupart du temps à une distance confortable des problèmes, et celui de la décision - clinique, judiciaire - prise à chaud, rendue obligatoire par une situation concrète dont la complexité et la gravité sont souvent inimaginables pour ceux qui n'y ont jamais été confrontés directement.

S'il importe que les «professionnels du placement» se remettent en cause, il convient donc également, au préalable, de dissiper les sources possibles de confusion et de situer les choses dans leur juste perspective.

Un mal... nécessaire?

Ce n'est pas le placement des enfants qui est un mal. Le placement - et c'est précisément là un aspect du véritable problème - arrive la plupart du temps après que le mal ait été fait, après que la crise se soit développée au sein de la famille. S'attaquer sans nuance au placement, le critiquer sur le seul plan théorique ou remettre en cause sa pertinence comme mesure possible d'intervention, c'est se tromper de cible. Le placement est une mesure qui s'impose et continuera de s'imposer dans plusieurs situations pour assurer la protection et le bien-être de certains enfants. Le retrait d'un enfant de son milieu familial - que ce retrait soit temporaire ou permanent - n'est jamais une fin en soi. Ce n'est pas non plus une solution, et encore moins une panacée. C'est tout au plus un moyen de mettre fin à un mal, d'enrayer sa progression, de mettre en place une stratégie, d'amorcer un processus à long terme de guérison. Le placement n'est pas un mal, même nécessaire. C'est un remède, dont on doit certes constamment évaluer l'utilité, mesurer la dose ou l'efficacité, surveiller les effets secondaires, mais qu'on ne doit jamais confondre avec la maladie. Le placement n'est pas une mesure qui trouve sa fin ou sa justification en elle-même, c'est un outil, et un outil qui nous est nécessaire.

Cela dit, toujours la décision de retirer ou non un enfant de son milieu familial est - et doit demeurer - une décision déchirante. C'est néanmoins une décision qu'il faut prendre. Au risque de passer pour de simples exécutants du «plus froid des monstres froids», il faut accepter que la douleur manifestée par l'enfant lorsqu'il est séparé de ses parents, les séquelles inévitables de cette séparation, ne constituent pas des motifs déterminants dans la décision de retirer ou non un enfant de sa famille. (Ce qui n'empêche pas, en revanche, que ces motifs aient une influence marquante sur la manière de prendre cette décision et, surtout, de la mettre en application.) C'est précisément parce qu'elle est toujours déchirante que cette décision est confiée à des professionnels qui, par leur formation et leur expérience, doivent être capables de s'abstraire de l'émotivité générée par la situation pour tenter de l'analyser à l'aide de critères rationnels.

C'est donc dans un registre précis que nous situons cette réflexion : celui de la mise en pratique de la décision de placer et des conditions pour assurer sa réussite. Car ce sont ces conditions qui, ultimement, sont déterminantes. C'est sur elles qu'il faut travailler, comme il faut, d'autre part, travailler sur les conditions entourant la décision de ne pas placer, puisque, là aussi, ce qui est déterminant pour la réussite du maintien de l'enfant dans son milieu familial, ce sont les objectifs visés par la décision et les conditions de son application.

Pour un placement profitable

Il n'y a pas de recette magique pour qu'un placement soit réussi, c'est-à -dire qu'il permette, à court terme, d'assurer la protection de l'enfant ou la résorption de la crise familiale, et, à plus long terme, la restauration ou l'instauration d'un milieu de vie où l'enfant pourra se développer normalement. Il existe cependant des critères qui permettent de prendre une décision éclairée, certains facteurs dont il faut tenir compte pour que le placement s'inscrive efficacement dans une perspective et une stratégie plus générales.

Les enfants d'abord

Le préalable d'un placement réussi, c'est évidemment de savoir lire la situation personnelle, familiale et sociale de l'enfant, de savoir décoder les rapports complexes qui se tissent entre tous les acteurs qui l'entourent et d'être en mesure de les projeter dans l'avenir afin d'en prédire les effets probables sur le développement de l'enfant. (Dans cette optique, il sera particulièrement important de se doter d'outils cliniques et de développer une sensibilité nous permettant de bien mesurer le phénomène de la répétition transgénérationnelle.)

Savoir lire la situation d'un enfant, c'est entre autres se rappeler que le placement est une problématique dont les données varient beaucoup selon l'âge. Le placement d'un bébé de moins de 6 mois ou de 6 à 12 mois présente une réalité différente de celle qu'on retrouve quand on doit prendre une décision pour un enfant de 1 à 5 ans ou de 5 à 10 ans. Les besoins psychologiques, affectifs, familiaux et sociaux de ces enfants, selon les étapes de leur vie, diffèrent parfois de manière radicale. Il faut savoir les prendre en considération dans la lecture d'une situation, comme on le fait pour l'histoire personnelle et unique de chaque enfant.

C'est d'abord l'enfant qui est au coeur de l'intervention. Il est donc essentiel de bien cerner ses intérêts et ses besoins. La meilleure façon d'y parvenir, c'est évidemment de le consulter. Le but ultime de toute décision de placement étant de permettre à l'enfant de réaliser un projet de vie qui lui soit propre, il est essentiel que cet enfant ait son mot à dire sur le plan qu'on entend suivre, sur la stratégie qu'on veut mettre en place pour assurer le succès de ce projet. L'enfant participe toujours au succès de son placement, il en est le premier artisan. Quelle que soit la décision qu'on prendra à son égard, c'est lui qui, ultimement, en demeurera le maître-d'oeuvre et aura le dernier mot sur le succès de l'opération par sa capacité et sa volonté, consciente ou non, de profiter de la mesure adoptée.

L'âge de l'enfant, sa capacité de verbaliser ses projets et ses attentes ne devraient pas représenter d'obstacles insurmontables à cette consultation. Quand l'enfant est trop jeune pour exprimer clairement ses préférences et ses attentes, il existe des outils scientifiques et cliniques qui permettent d'interpréter de manière assez exacte ses besoins et ses intérêts. Il est essentiel qu'on ait recours à cette consultation, directe ou indirecte. Un professionnel ne devrait jamais, sur la seule base de considérations purement théoriques et de ses propres valeurs subjectives, «savoir» d'emblée ce qui est bon pour tel ou tel enfant. Chaque enfant est unique et son patrimoine humain appelle un projet propre qu'il est souvent en mesure d'induire. Le rôle du professionnel est de l'aider à le découvrir, à l'exprimer et à mettre en place les conditions de sa réalisation. C'est l'enfant qui, en dernière instance, par sa capacité d'adhérer et de s'adapter, assurera le succès de la mesure. Le professionnel qui a pris la «bonne décision» est celui qui a su écouter et interpréter correctement les besoins et les attentes de l'enfant.

Des parents négligés?

Dans le drame du placement, les parents jouent évidemment un premier rôle. Or, ce qu'on a beaucoup reproché aux professionnels qui doivent prendre la décison de laisser un enfant dans son milieu familial ou de l'en retirer, c'est précisément de marginaliser ce rôle, voire d'exclure carrément les parents de la scène. Il faut reconnaître que le «préjugé favorable» à l'endroit de l'enfant, préjugé entretenu par une intervention qui est souvent déclenchée par la nécessité de protéger l'enfant, a souvent amené les professionnels à prêter davantage attention aux lacunes et aux faiblesses des parents qu'à leurs forces ou à leurs capacités. Depuis quelques années, toutefois, cette optique a sensiblement évolué; dans l'évaluation de la situation familiale comme dans le choix des mesures correctives proposées, l'accent porte de plus en plus sur les capacités des parents et sur les moyens de les soutenir et de les renforcer.

Un parent a la responsabilité d'assurer un projet de vie à son enfant. S'il ne semble pas s'en acquitter adéquatement, cette responsabilité doit lui être constamment et fermement rappelée. Il revient alors aux intervenants professionnels non seulement de mesurer le degré d'incapacité ou de «dépassement» des parents, mais de les amener à sortir de l'égocentricité dans laquelle ils se sont enfermés et qui les empêche de donner un peu d'eux-mêmes à leurs enfants. Pour y parvenir, il faudra évidemment bien entendre leurs besoins, tenter d'y répondre et, surtout, les rendre capables d'y répondre eux-mêmes. Mais au-delà, ce qui importera encore plus, ce sera de bien distinguer un parent momentanément dépassé d'un parent inadéquat ou dangereux pour l'avenir de son enfant.

Des intérêts bien compris

Une autre condition d'un placement réussi, c'est de reconnaître que tous les acteurs impliqués dans ce drame ont un rôle à «défendre». C'est vrai évidemment des premiers rôles - les enfants et les parents -, mais ce l'est aussi des professionnels qui prennent la décision de placer, des familles d'accueil et des établissements. Ce serait une erreur de voir dans ces intervenants de simples techniciens qui se contentent de suivre l'action de la coulisse. Ils y prennent part activement, émotivement, avec leurs intérêts et leurs attentes, qu'il serait dangereux d'occulter ou de négliger.

Ainsi, les intervenants sociaux ou judiciaires qui prennent la décision de maintenir un enfant au sein de sa famille ou de l'en retirer sont des professionnels qui sont influencés par leurs théories, les approches cliniques et les idéologies auxquelles ils adhèrent, tout en devant composer avec un système administratif qui n'est pas toujours simple. Ce sont souvent eux-mêmes des parents qui ont leur propre schème de valeurs familiales et leurs idées sur l'éducation des enfants. Aussi est-il important de mettre à leur disposition des moyens qui leur permettront de prendre une certaine distance critique par rapport à leur pratique, de «s'objectiver» et de valider leur mode intervention.

Dans le même esprit, le discours actuel entourant la collaboration entre parents naturels et familles d'accueil ne doit pas faire oublier que ces deux familles, si elles sont des partenaires, peuvent souvent devenir des rivales dans la «lutte» inévitable qu'elles se livrent, consciemment ou non, pour l'affection de l'enfant, en retour de l'amour qu'elles investissent. Si cette situation, tout à fait normale, est mal comprise ou mal gérée, elle risque de provoquer chez l'enfant une culpabilité diffuse, qu'il devra subir même si elle n'est pas son fait.

On pourrait également élaborer sur le rôle des établissements chargés de fournir des services psychosociaux ou de réadaptation. Eux aussi, dans l'accomplissement de leur mission et au nom de l'intérêt de l'enfant, sont influencés par des modèles d'intervention et des théories. Il leur revient donc également de mettre en place des mécanismes qui garantiront que la réalité et les besoins de l'enfant auront toujours le pas sur les intérêts et les projets institutionnels.

Reconnaître ces biais personnels et ces intérêts professionnels ne vient pas miner la crédibilité des intervenants qui sont impliqués dans le placement d'un enfant. Être conscient de l'existence de rapports de force et de jeux d'influence, ce n'est pas discréditer le placement comme mesure adéquate pour protéger un enfant et l'aider à réaliser son projet de vie, c'est tout au plus le démystifier et l'aborder avec pragmatisme.

Balises et garde-fous

Cette approche pragmatique du placement commandera également de doter les professionnels d'outils cliniques adéquats et de fixer des balises précises à l'intervention. Une première balise à mettre en place ou à conserver, c'est de déterminer précisément à qui revient la décision de retirer un enfant de sa famille ou de l'y laisser. En cette matière, la plus sûre garantie est encore de confier cette décision à une équipe - dont les parents et les enfants, concernés au premier chef par la décision, font bien sûr partie intégrante. Non seulement évite-t-on ainsi les biais personnels, mais on favorise l'échange d'informations et d'opinions, on remédie au sentiment d'isolement du professionnel et à son angoisse d'avoir à assumer seul le fardeau de la décision, et on s'assure d'une évaluation plus exhaustive qui aura pris en compte tous les facteurs importants.

La tâche centrale de cette équipe est de cerner le projet de vie de l'enfant et d'évaluer si les parents, qui doivent être au coeur de ce projet de vie, sont en mesure d'assumer leurs responsabilités. Toutes les évaluations et les analyses des besoins et des attentes de l'enfant servent à préciser ce projet de vie; toutes les évaluations et les analyses des capacités et des lacunes parentales servent à déterminer le rôle qu'ils peuvent jouer dans la réalisation de ce projet. La décision de retirer temporairement ou de manière permanente un enfant à ses parents, et tout ce qui prépare et suit cette décision, ne sont que des éléments d'une stratégie globale qui consiste à aider l'enfant à réaliser son projet de vie.

C'est également en fonction de cette perspective à long terme de développement et de bien-être de l'enfant qu'on devrait être en mesure, dès le début de l'intervention, de décider s'il y aura un retour possible dans le milieu familial ou si le retrait sera définitif. C'est seulement lorsque cette décision fondamentale aura été prise qu'on pourra établir la durée du placement et un plan d'action précis pour tous les acteurs impliqués. On ne saurait trop insister sur l'importance de prendre très tôt une décision relative au retour possible de l'enfant avec ses parents ou l'un ou l'autre d'entre eux. C'est une décision qui est loin d'être simple, qui est même parfois impossible à prendre dans l'immédiat. On devra parfois se résoudre à placer l'enfant sans avoir statué sur la possibilité d'un retour dans le milieu familial, mais tant que cette décision n'est pas prise, elle doit demeurer une préoccupation constante, puisqu'elle seule pourra rompre l'ambivalence dans laquelle se débat l'enfant. C'est souvent parce qu'on n'ose pas trancher de manière définitive la question du retrait de l'enfant de son milieu familial que cet enfant fait l'objet de placements à répétition. Parce qu'on manque de courage, parce qu'on cède à la pression sociale, parce qu'on cerne mal les besoins de l'enfant, on le condamne ainsi à un va-et-vient qui alimente chez lui l'incertitude, l'angoisse et les espoirs déçus. Ces tentatives et ces demi-mesures ont des effets dévastateurs sur l'équilibre et le bien-être de l'enfant, parce qu'il les perçoit comme autant d'échecs et qu'elles empêchent l'élaboration de tout projet de vie stable.

Le retrait d'un enfant de son milieu familial, s'il repose sur ces pré-requis essentiels que sont des motifs, des objectifs, un plan et un calendrier bien déterminés, pourra alors être préparé adéquatement et se faire dans des conditions beaucoup moins traumatisantes pour toutes les personnes impliquées. Les circonstances ne le permettent pas toujours, mais le placement d'urgence - cette sortie en catastrophe de l'enfant de son milieu - devrait être considéré comme une mesure de dernier recours, justifiée seulement par une menace immédiate à l'intégrité physique de l'enfant. Un placement mal préparé - quand l'enfant et ses parents ne savent pas pourquoi, où et jusqu'à quand il s'en va - est une intervention bien mal engagée, un mauvais départ qu'il faudra de toute façon reprendre si on veut que l'enfant et ses parents comprennent et adhèrent à la stratégie qu'on vient non de leur proposer mais de leur imposer. Cette nécessité d'une préparation, d'une transition, n'est d'ailleurs pas limitée à la sortie de l'enfant de son milieu familial. Le retour de l'enfant auprès de ses parents doit lui aussi faire l'objet de la même attention. Les familles d'accueil soulignent souvent - et avec raison - que pour l'enfant et les parents substituts, ce «retour» est aussi un «retrait» du milieu de vie, une nouvelle brisure qui doit, autant que la première, être clairement expliquée et motivée.

Un parcours semé d'embûches

On ne saurait trop insister sur l'importance de ces pré-requis dans la réussite d'une stratégie de placement, car une fois cette décision prise, l'intervention ne fait que commencer. Le retrait d'un enfant de son milieu familial n'est que la première d'une longue série de manoeuvres qui se dérouleront dans un contexte très chargé. En d'autres mots, le fonctionnement de la machine judiciaire, sociale et administrative mise en place pour assurer la protection des droits des enfants et des parents repose sur de très nombreux mécanismes et rouages qui, perçus du point de vue clinique, peuvent se transformer en autant d'entraves à la réussite de la stratégie dont le placement fait partie.

Il ne s'agit pas ici de remettre en question la pertinence de ce dispositif juridico-administratif, mais de souligner simplement que sa complexité est un facteur qui exercera une influence déterminante sur l'application de la décision prise par le professionnel. D'où l'importance accrue de disposer d'objectifs clairs et d'un plan où chacun saura précisément ce qui est attendu de lui.

Pour un vrai débat

La décision de retirer un enfant de son milieu familial pour le placer temporairement dans un milieu substitut ou, de manière plus radicale encore, pour le confier à l'adoption, demeurera toujours un enjeu social épineux, qui n'échappera jamais à la controverse. Il ne faudrait pas interpréter les positions exprimées dans ce texte comme un refus du débat ou une fin de non-recevoir à tout argument qui ne jouirait pas de «l'autorité» conférée par l'expertise. Ce débat est nécessaire et il doit toucher la plus large tranche possible de la population. Et c'est précisément dans cette optique que l'opinion des «professionnels du placement» peut être utile, non comme une vérité promulguée ex cathedra, mais comme une contribution compétente à une discussion large.

Le bébé et l'eau du bain

Cela dit, ce qui doit, selon nous, faire l'objet prioritaire d'un réexamen, ce n'est pas tant la nécessité de placer que les moyens consentis par le système public pour supporter une décision éclairée, en évaluer l'efficacité et assurer à chacun des acteurs impliqués la qualité et la continuité des services. Ce à quoi on doit s'attaquer d'emblée, c'est le placement d'urgence auquel on a encore recours dans beaucoup trop de situations, ce sont les déplacements, les changements d'intervenants, les interruptions de services.

On parle de plus en plus «d'alternatives» au placement, de «mesures de rechange» à une pratique considérée souvent comme un palliatif auquel on se sent de plus en plus coupable d'avoir recours. Cette recherche de nouvelles avenues s'inscrit dans une évolution normale et nécessaire de la pratique sociale et doit absolument être poursuivie. Elle ne pourra toutefois remplir ses promesses que si on s'entend clairement sur les motifs qui la sous-tendent et les attentes qu'on place en elle, à commencer par le sens qu'il convient de donner au mot «alternatif».

L'orientation qui devrait nous guider en cette matière n'est pas l'élimination du placement, mais la garantie que l'enfant possèdera un projet de vie et un milieu propice à son évolution dans toute la mesure du possible, avec ses parents. En ce sens, si on doit chercher des «alternatives», ce n'est pas au placement en tant que tel, mais à nos modes de pratique actuels, à nos façons de faire, à nos lacunes dans le renforcement des capacités parentales et le soutien que nous apportons à la famille. Le placement est une mesure dont on ne peut se priver, certes, mais d'admettre ce fait ne nous dispense pas de raffiner cette mesure, d'acquérir les connaissances et les outils qui pourront en atténuer les effets pervers. Quand, par contre, le placement résulte de notre incapacité à fournir aux enfants et aux parents les moyens appropriés pour surmonter leurs difficultés, alors il convient de parler «d'alternatives», d'encourager toutes les recherches et les initiatives qui viseront à trouver des mesures «de rechange», telles que l'intervention massive et intensive, les projets de type «Homebuilders», etc.

Enfin, il ne faudrait pas, dans cette recherche d'alternatives au placement, oublier que le point focal de notre intervention est le bien-être de l'enfant. Le critère absolu pour évaluer les expériences alternatives ne devrait pas être les économies - bien hypothétiques - que nous en escomptons, mais les bénéfices qu'en retireront les enfants. Les résultats pour le moins mitigés obtenus depuis 20 ans en matières de désinstitutionnalisation et de maintien dans le milieu devraient au moins nous rendre plus prudents face aux promesses mirobolantes des alternatives au placement...

Ne pas perdre le nord

Notre approche actuelle du placement des enfants doit donc continuer d'être réévaluée; elle peut, sans l'ombre d'un doute, faire l'objet d'améliorations sensibles. Il y a cependant quelques grands repères que des décennies de pratique et de recherche ont contribué à mettre en place et qui doivent être maintenus.

- Chaque enfant a le droit absolu de découvrir, d'entretenir et de réaliser son propre projet de vie.

- Les parents sont placés au coeur de ce projet, et c'est à eux qu'il revient d'aider l'enfant à le définir et à l'accomplir. Ce n'est pas pour eux une question de droits, mais de responsabilités.

- Les intervenants sociaux et judiciaires n'entrent en jeu que lorsque ce projet de l'enfant est menacé parce que les parents n'exercent plus adéquatement ces responsabilités. Les intervenants ont alors à répondre à une question fondamentale: les parents ont-ils encore la capacité et la générosité pour offrir à leur enfant ce minimum qu'est le don d'une partie de soi?

- Quand cette réponse est négative, quand, même avec de l'aide et du soutien, ni l'un ni l'autre des parents ne peut pourvoir à ce minimum vital que sont les besoins physiques ou affectifs de l'enfant, il faut permettre à celui-ci de tenter de réaliser son projet de vie dans un autre milieu, offrant plus de stabilité, d'encadrement, d'encouragement et de permanence.

- Il n'y a aucune garantie que cette décision sera la bonne. On se donne toutefois des gages de réussite quand on met les besoins de l'enfant au coeur de la stratégie et, par-dessus tout, quand on est capable, chaque fois, de prendre cette décision comme si c'était la première et la plus importante de sa vie professionnelle.

La décision de retirer un enfant à la garde de ses parents demeurera toujours une décision bouleversante, notamment par la douleur et les séquelles qu'elle cause à l'enfant. Il ne faut jamais oublier, cependant, que s'il est difficile et dommageable pour un enfant d'être soustrait à ses parents, il est encore plus pénible et plus grave de conséquences pour lui d'être soumis à des parents inadéquats, parce que captifs de leur propre douleur d'enfant.❖

While it is necessary to question our practice of child placement, that questioning should not confound the evil with the remedy. Foster care is an essential measure to protect certain children and to remedy to severe parental deficiencies. The decision to take a child away from his family - either temporarily or definitively - must be considered as one element of a global strategy to ensure the child's normal development and the realization of his life project.

In the course of the present essay, the author tackles many important questions raised by the decision of placement: What are the criteria that can best lead to a well-informed decision? How can we perceive the child's needs and give him ways to express them? How can we evaluate parental capacities and by what means could we best support the parents? How can we manage the diverse interests held by the actors (professionals, foster families, institutions) involved in the situation? Which conditions should be installed, so that the decision and the strategy of placement give the best results?

A-T-ON LE CHOIX?

Des mesures alternatives:un critère déterminant dans la décision de placement

«La réalité et la gravité des risques d'un placement, la souffrance qu'il engendre, sont des raisons suffisantes pour que soient systématiquement envisagées toutes les possibilités de l'éviter lorsque cela est possible. C'est là un premier principe, mais duquel un corollaire doit être obligatoirement déduit: ne pas laisser pour autant l'enfant et ses parents sans soutien ni traitement, dans une situation de danger au cours de laquelle l'état de l'un et/ou des autres risque de se dégrader.»

Myriam DAVID

Jean BOUDREAU

L'auteur est psychologue et licencié en criminologie et en science familiale et sexologique. Il est conseiller à l'Association des centres jeunesse du Québec et répondant provincial du Comité provincial de coordination des admissions.

Autrefois, le placement d'un enfant apparaissait comme un geste salutaire pour éviter des dangers au plan physique, éducatif ou moral. Avec l'évolution des mentalités et des familles (Simard et Vachon, 1987; Assailly, 1989), cette perspective a changé, et l'on reconnaît généralement aujourd'hui que tout placement est une épreuve pour l'enfant, quels que soient son motif, sa durée ou son mode (Soulé, 1989; St-Antoine, 1993). Si le placement apparaît encore comme une nécessité dans certains cas (Daro, 1988; Gelles, 1992) et si ses bénéfices peuvent être importants (Kent, 1976; Wald et al., 1988), ses indications devraient par contre être restreintes (Cole et Duva, 1990; CWLA, 1990) et assujetties à l'utilisation préalable d'autres modes d'intervention (David, 1989; Steinhauer, 1991; AHA, 1992).

Le placement: une mesure surinvestie au Québec?

L'utilisation du placement dans l'intervention auprès des jeunes a toujours occupé une place prioritaire au Québec (Garant, 1980; Simard et Vachon, 1987). Même aujourd'hui, quand les DPJ prennent en charge la situation des jeunes en besoin de protection, avec toute la

Le placement d'enfants reste encore une mesure surutilisée, notamment au Québec. Ce recours excessif est souvent lié à l'absence de solutions de rechange et aux limites des critères et de l'instrumentation en matière de placement.

L'auteur fait une analyse des critères proposés par l'American Humane Association, par Steinhauer et par David, en faisant ressortir que le placement est selon eux un dernier recours au terme d'une série de mesures alternatives accessibles et efficaces qui doivent être d'abord privilégiées. Une typologie des alternatives disponibles selon les axes famille/enfant/parent est ensuite proposée, accompagnée d'une rapide recension de leur impact. La nécessité de développer un système intégré d'aide aux jeunes est finalement discutée, en insistant sur l'importance stratégique que les services soient dispensés en lien avec la famille et l'école.

complexité et la fréquente judiciarisation qu'elle implique, le placement en famille ou en centre d'accueil constitue encore un mode prépondérant de prise en charge. Selon le dernier rapport d'activités des DPJ (1988-1990), pas moins de 55% des jeunes étaient placés en famille d'accueil (40%) ou en centre d'accueil (15%).

Le maintien en milieu parental (LPJ art.4) a beau être un droit fondamental reconnu formellement par la Loi sur la protection de la jeunesse, le système de protection, constitué de règles, d'acteurs et d'institutions multiples, semble éprouver des difficultés à atteindre cet objectif et tendrait encore à surutiliser le placement. Il n'est donc pas étonnant que les trois rapports commandés par le ministère de la Santé et des Services sociaux (Bouchard, 1991; Harvey, 1991; Jasmin, 1992) recommandent unanimement de prévenir le plus possible le placement et, par surcroît, de rationaliser son utilisation. Depuis déjà longtemps, les intervenants se plaignaient (Harvey, 1991) de devoir se résoudre au placement, faute d'alternatives.

Tout en reconnaissant qu'un bas niveau de placement n'est pas en soi un indicateur de bons services, il reste cependant difficile de situer objectivement des taux optimaux de placement et de comparer ces taux entre pays et entre provinces. Cela suppose notamment de tenir compte de l'ensemble des législations et réglementations concernant l'enfance ainsi que des approches différentes utilisées dans la catégorisation, tant des enfants eux-mêmes (âge, typologie, problématique, etc.) que des ressources.

Récemment, le Conseil des affaires sociales (1990) s'est risqué avec plus ou moins de bonheur sur ce terrain en comparant les taux de placement entre le Québec et l'Ontario. De fait, il faut remonter à 1974 (Boutin) pour retrouver une analyse de données comparables entre ces deux provinces. A défaut d'avancer des chiffres précis, on peut risquer, comme Ooms et Beck (1990), une approximation générale. Selon eux, entre 25 et 40% des jeunes placés aux Etats-Unis ne devraient pas l'être. Quand on examine le processus du placement, il est d'ailleurs reconnu, ici comme ailleurs (Cirillo, 1988; Tremblay, 1992; CPDJ, 1992), que le placement est souvent utilisé comme une mesure d'urgence (ou tampon) décidée à la hâte, parfois même, sans avoir eu de contact direct avec la famille.

Ceci dit, il faut voir que les bienfaits du placement, comparativement au maintien dans certains milieux familiaux à haut risque, sont bien documentés (Garant, 1992; Daro, 1988) et que dans certains cas, cette mesure est de loin préférable à des solutions qui risquent d'accentuer la détérioration de la famille ou de mettre davantage en danger le développement de l'enfant (Gelles, 1992). Le placement reste parfois la seule mesure possible, même si au Québec, il est encore trop souvent utilisé par défaut.

Comment décider du placement?

Il ne faut pas se cacher que la multiplicité des intervenants et des instances impliqués dans la décision de placement (praticien social, chef de division, psychologue, avocat, juge, comité de placement...), conjuguée à l'absence d'un diagnostic objectif et à la rareté des ressources confèrent un caractère éminemment discrétionnaire et subjectif à cette décision. L'absence d'alternatives et l'éventail restreint des services disponibles contribuent souvent à l'accélération et à la surutilisation des mesures de placement. Par ailleurs, les tentatives de mettre en place diverses structures (comité de placement, par exemple) ou mécanismes (protocole) pour objectiver davantage le processus de décision ont très souvent eu des résultats mitigés (Lavoie, 1979), en raison de la fluidité et de l'imprécision même des critères, de la complexité du processus et du manque d'alternatives concrètes et appropriées.

Quand on veut définir précisément les critères et les processus de placement, on se heurte rapidement à des perceptions divergentes et à une absence de consensus chez les décideurs eux-mêmes (Barker et Aptekar, 1990). Pour Tracy (1991), qui a tenté d'en cerner les paramètres essentiels, déterminer le besoin de placement, établir les critères de sélection et implanter des procédures de placement, c'est parler de concepts liés et interdépendants, mais difficiles à objectiver. Ainsi, Rossi (1992), au terme d'une analyse récente du processus de placement, conclut-il:

> *«Le placement est de toute évidence un événement déterminé de manière confuse. De même, les opinions énoncées à propos de l'imminence de placement sont elles aussi confuses.» (p. 92)*

On peut bien, comme le prône Murphy (1992), partir des besoins des jeunes, mais il faut reconnaître que, présentement, on se heurte à des critères limités et à une instrumentation déficiente (Barker et Aptekar, 1990). En effet, l'instrumentation dans ce secteur en est encore à ses premiers balbutiements (Seaberg, 1988; Wald Woolverton, 1990; Berry, 1991; Odesse et Trottier, 1992). Certains instruments sont cependant prometteurs, notamment l'Inventaire concernant le bien-être de l'enfant, développé par Magura et Moses dans le cadre du CWLA (Nelson, 1992; Gaudin et al, 1992). Assistés d'experts en protection de la jeunesse, Vézina et Pelletier (1992) viennent justement d'identifier avec cet instrument des seuils d'intervention en protection, de même que des propositions de mesures associées à ces seuils.

L'apport d'une telle instrumentation devrait donc permettre de progresser à court terme dans les décisions de placement, dans l'objectivation du choix des mesures et dans la sélection des options les plus pertinentes. Cependant, comme le conclut Nelson (1992), il reste encore du chemin à parcourir avant de disposer d'un outil réellement discriminant, car si certaines échelles de l'Inventaire sont éclairantes pour percevoir les changements dans le fonctionnement familial, elles ne peuvent pas encore servir d'outil systématique de dépistage en rapport avec le placement. Cette auteure n'exclut toutefois pas que certaines échelles sensibles au risque de placement puissent assez rapidement servir à identifier des programmes spécifiques.

Compte tenu des limites actuelles entourant la prise de décision et de l'insuffisance générale des critères et de l'instrumentation, l'utilisation d'alternatives devrait donc être considérée comme un critère déterminant de la décision de placement. Dans les synthèses récentes les mieux documentées sur la question, réalisées par des chercheurs et des cliniciens américains et européens (David, 1989; AHA, 1992; Steinhauer, 1991), on retrouve plusieurs points de convergence, notamment sur le fait qu'il s'agit d'une mesure en quelque sorte ultime, à n'utiliser que si elle est de toute évidence la moins dommageable, et seulement après que toutes les ressources qui permettent le maintien de l'enfant au sein de sa famille aient été mises à contribution.

Ne pas placer sans avoir tenté des alternatives

L'American Humane Association (1992), qui s'occupe depuis plus de quarante ans aux Etats-Unis de la formation et du soutien des intervenants en protection de la jeunesse, affirme que le placement ne doit être envisagé que lorsque la sécurité immédiate d'un enfant est en cause et elle établit neuf critères qui tentent de cerner cette notion de sécurité immédiate. Ces critères s'appliquent cependant dans le cadre de la Public Law américaine 96-272 qui oblige non seulement à faire l'examen de toutes les alternatives, mais qui contraint à produire une justification écrite quant à l'incapacité de prévenir le placement. Le support de cette loi a été déterminant pour déclencher aux

Etats-Unis un important mouvement d'alternatives au placement, et notamment celui des *«family preservation services»* ou programmes de soutien familial (Garant, 1992; Chabot, 1992) que l'on retrouve à l'heure actuelle dans la plupart des Etats américains.

De son côté, Steinhauer (1991) soutient que la décision de placement est à ce point porteuse de risques qu'elle ne doit être envisagée que lorsque toutes les possibilités d'améliorer la situation familiale, soit par une intervention directe auprès de l'enfant et de la famille, soit par l'intermédiaire de services de support (auxiliaires familiales, garderie thérapeutique, groupes d'entraide...) ont été tentées sérieusement mais sans succès (p.117). Selon lui, l'attitude déterminante consiste globalement à savoir s'opposer à la demande de placement de parents excédés, à repréciser leurs besoins, à fournir les services appropriés et à maintenir une approche de non placement, même après des crises répétées.

Tout comme Jones (1985) avant lui, Steinhauer insiste sur les trois facteurs qui sont les meilleures garanties du non placement:

- le maintien de services préventifs;
- l'étendue des services offerts;
- l'expérience de l'intervenant.

Dans son livre qui couvre les dimensions tant préventives que curatives liées au placement, l'auteur se montre particulièrement sensible aux pressions que vivent les intervenants, et il reconnaît l'importance de soutenir ceux-ci, notamment lors de la prise de décision. Myriam David (1989) est encore plus explicite sur ce point en souhaitant que soient mis sur pied des programmes d'information et des stages rémunérés pour les professionnels qui n'ont pas l'expérience du placement. Elle suggère même que ceux-ci ne soient pas autorisés à prendre de décision concernant le placement d'enfant sans avoir bénéficié au préalable d'une formation ad hoc et d'un minimum d'expérience dans un service de placement (p.431).

Pour David, il y a plus ici qu'une question de formation, et tenter des alternatives est pour elle un impératif. Mais expérimenter des alternatives suppose une organisation et des moyens particuliers:

> *«Il est nécessaire que les travailleurs sociaux puissent accéder facilement à d'autres moyens d'aide, tels que: aide ménagère, garde de jour, aide financière, consultation médicale pédiatrique ou psychiatrique, etc., sans avoir à passer par de multiples intermédiaires; il est nécessaire aussi que l'évitement de placement donne droit à une priorité afin que l'attente soit réduite. (...) Le non-recours au placement exige donc une politique de secteur et de circonscription cohérente, un équipement d'accueil et de soins, une bonne articulation entre les services, des cadres techniques rompus à ces problèmes, capables d'orienter et de soutenir l'action sur le terrain des équipes préventives et thérapeutiques soucieuses et capables d'agir en concertation.»(p. 130-131)*

Cet examen rapide des textes de l'American Humane Association, de Steinhauer et de David, quant à la décision de placement, révèle un consensus majeur sur les principes d'intervention. Le placement constitue pour eux un dernier recours complémentaire à une série de mesures alternatives axées sur la famille.

Mais encore faut-il que les alternatives existent

L'alternative au placement, tout comme la prévention, peut se situer à différents niveaux et s'interpréter de façon plus ou moins restrictive. Ainsi, lutter contre la pauvreté ou encore, contre la consommation de drogues, élargir le réseau des garderies, peut certainement contribuer de près ou de loin à prévenir le placement. Mais à considérer les actions préventives qui peuvent éventuellement avoir un impact sur le taux de placement, on risque à court terme de ne pas vraiment aider ceux qui sont quotidiennement confrontés à des jeunes et des familles en état de crise et qui doivent prendre des décisions urgentes et lourdes de conséquence. Comme le soutiennent Dagenais et Bouchard (1992):

> *«Compte tenu de l'état actuel de la recherche portant sur l'intervention en situation de crise en protection de la jeunesse, nous en savons encore peu sur les éléments qui constituent une intervention efficace.(...) De fait les intervenantes se questionnent à la fois sur la nature même de la crise, les objectifs à poursuivre dans ces situations ainsi que sur l'adéquacité de leurs interventions pour la solutionner.» (p.28)*

Même face à des alternatives formelles et populaires comme le sont présentement les «programmes de soutien familial» (Garant, 1992; Chabot, 1992; Rossi, 1992), on se rend compte, en scrutant des études critiques, que l'impact sur le placement est plus ou moins immédiat ou durable, ce qui fragilise les taux de succès revendiqués et requestionne fondamentalement les prétentions à une réelle prévention du placement. Mais de quoi parle-t-on, lorsqu'on traite des alternatives au placement?

Il y a de fait deux problèmes majeurs: celui de la définition de ces mesures et celui de leur efficacité comme alternatives. On est encore loin «d'appellations contrôlées» et formellement validées (Wells et Biegel, 1991; Garant, 1992). Cependant, l'on retrouve chez plusieurs auteurs (Batshaw, 1975; David, 1989; Steinhauer, 1991) des exemples de ces mesures et des attentes précises quant à leurs fonctions. On peut déduire de ces exemples la définition opérationnelle suivante et considérer désormais comme alternative au placement:

> *Toute mesure qui par elle-même ou combinée à une autre, dans une situation effective ou hautement probable de placement, contribue en lieu du placement à minimiser les risques encourus par un jeune, à diminuer sa souffrance, à favoriser son développement et à supporter sa famille.*

Sur la base de cette définition, Boudreau et al. (1993) ont élaboré une typologie des alternatives en les regroupant autour de l'*axe familial* (auxiliaires familiales, programmes de soutien familial) de l'*axe enfant* (garderies, centres de jour, réadaptation scolaire, probation intensive) et de l'*axe parent* (retrait de l'abuseur, groupes d'entraide). Dans une recension exploratoire récente (1993), ces auteurs ont exploré l'ensemble de ces mesures. Les principales conclusions étaient les suivantes:

- En regard de l'ensemble des alternatives recensées, les certitudes empiriques sont rares. Des difficultés de définition et de méthodologie de même que la rareté des évaluations systématiques font que non seulement les alternatives mais les pratiques de placement elles-mêmes restent mal évaluées quant à leurs bénéfices réels.

- Au plan des mesures axées sur la famille, les programmes de soutien familial représentent un changement de cap majeur, tant dans l'approche et les attitudes que dans les moyens mis en place (Cole et Duva, 1990; Chabot, 1992). Les impacts de ces mesures, malgré de nombreuses tentatives d'évaluation, iraient dans le «bon» sens, mais ne sont pas complètement concluants (Daro, 1988; Cole et Duva, 1990; Dagenais et Bouchard, 1993; Garant, 1992). Par ailleurs, les mesures d'auxiliaire/éducatrice familiale sont utilisées et appréciées depuis longtemps, mais des preuves excluant tout doute quant à leur efficacité spécifique doivent encore être documentées (Gauthier, 1992; Diorio, 1992).

- Au plan des mesures axées sur l'enfant, malgré le peu de références recensées sur les garderies, celles-ci semblent offrir de l'intérêt comme mesure d'appoint (Darveau-Fournier et Home, 1990; Garbarino, 1992; Cloutier et al, 1992). De même, l'évaluation d'un centre de jour pour jeunes aux prises avec des troubles de comportement (Grizenko, 1992) montre des résultats fort intéressants à un rapport coût-bénéfice très avantageux. De son côté, la réadaptation scolaire offre un lieu stratégique d'intervention très prometteur (Bouchard, 1991; Ontario, 1990; Garbarino, 1992), mais les bilans de ces évaluations restent à parachever.

En ce qui a trait aux pratiques en délinquance, devant l'insatisfaction des mesures de mise sous garde et de probation «traditionnelles», plusieurs projets ont été mis à l'essai et on a surtout évalué une formule de probation dite intensive (avec ou sans centre de jour spécialisé). Malgré une somme de résultats qui jusqu'à maintenant ne sont pas vraiment concluants, plusieurs intervenants et évaluateurs continuent d'y voir une voie d'avenir (Morris et Tonry, 1990; Petersilia, 1990; Turner et al, 1992).

- Au plan des mesures axées sur le parent, les groupes d'entraide offrent, selon les résultats recensés (Daro, 1988; Darveau-Fournier et Home, 1990; Dallaire et Chamberland, 1992; Paradis et al., 1992; Cameron et al, 1992), des services profitables à un coût modeste, et même dans certains cas, avec des problématiques graves comme l'abus sexuel. Le retrait de l'abuseur, bien que préconisé depuis un certain temps déjà, reste peu documenté (Berry, 1989), mais une analyse évaluative d'envergure sera disponible sous peu (Ryan et al, 1993).

Malgré l'intérêt des diverses mesures, notre recension a réussi à identifier à peine une vingtaine de projets-terrain au Québec. Ces projets étaient la plupart du temps très circonscrits et limités, et à peu près jamais évalués. Au plan budgétaire, ils représentaient des coûts dérisoires comparativement aux coûts actuels du placement (familles d'accueil, 51.6 millions et centres de réadaptation, 320.4 millions; (Roberge, 1991). Si l'on considère que les 161 CLSC de la province disposent d'à peine 60 auxiliaires familiales pour les jeunes (Fédération des CLSC, 1992), on ne peut que s'interroger sur les possibilités réelles d'utiliser des alternatives pour une partie des 15,000 enfants placés annuellement.

Pour un système intégré d'aide aux jeunes

Pourtant déjà en 1975, la Commission Batshaw, mandatée pour étudier la réadaptation des enfants et des adolescents placés en centres d'accueil, réagissait au recours abusif du placement (à ce moment-là, massivement en milieu sécuritaire), et proposait, pour y remédier, l'implantation d'un éventail de douze mesures complémentaires allant de l'auberge jusqu'au centre sécuritaire, en passant par la probation, la réadaptation communautaire, l'assistance aux parents, la réadaptation en milieu scolaire, le centre de jour, etc. (pp.19-24). Devant la diversité des besoins des jeunes, on se devait d'offrir des solutions variées et adaptées, bref des alternatives.

Près de quinze ans plus tard, au terme d'une étude évaluative extrêmement fouillée des mesures utilisées auprès de jeunes en besoin de protection, Daro (1988) concluait, elle aussi, à l'importance d'un continuum de services et d'un système intégré d'aide aux jeunes. Pour elle, il ne fait aucun doute que des stratégies préventives isolées ne peuvent avoir d'effet sur la maltraitance; c'est plutôt par la mise sur pied d'un système intégré de services complémentaires que des résultats seront atteints.

Au-delà de l'implantation ponctuelle de mesures alternatives, c'est donc le système de services à l'enfance qu'il faut revoir, le modèle qu'il faut reviser en s'assurant du déploiement de services accessibles, complémentaires et performants, selon divers ordres de besoins. Le modèle le plus prometteur à l'heure actuelle en est un où l'on retrouve des services diversifiés, axés sur la famille, et qui sont accessibles, complémentaires et évalués. Les Schorr ont présenté un tel modèle en 1988. M. C. Gauthier (1992) a fait la synthèse de ce modèle et en a recherché des traces au Québec:

> *«Il ressort de leur analyse (les Schorr) que pour porter fruit, l'intervention doit donc toucher tous les secteurs du fonctionnement d'une famille et s'inspirer d'une approche véritablement écologique selon laquelle*

l'enfant et ses parents évoluent dans un environnement qui joue un rôle actif dans la situation. Les programmes mis en place doivent être flexibles, cohérents et facilement accessibles, coordonnés par un ou quelques intervenants assurant la continuité dans les soins et les services. Ils doivent être intensifs et rejoindre les gens rapidement. Les difficultés posées par ces familles, dans des contextes humains parfois extrêmement difficiles et marginaux, exigent de plus une intervention par des professionnels supervisés de près et qui soient capables d'établir des relations de confiance basées sur le respect des valeurs d'autrui. Ajoutons que ces interventions devraient être rigoureusement évaluées et subventionnées à long terme si elles s'avèrent efficaces. En dépit de leur caractère d'évidence, presqu'aucune de ces caractéristiques ne se retrouve dans le système québécois actuel.» (p.43-44)

Tout comme on ne peut imputer la maltraitance à une cause unique, de la même façon, il faut envisager une série de stratégies pour assurer la sécurité et le développement des enfants, l'amélioration des capacités parentales, la stabilité de la famille... et y tenir longtemps. Prévenir le placement n'est pas un but en soi, mais il y va de l'efficacité des interventions de correspondre aux besoins des jeunes; en effet, le placement sera d'autant plus utile qu'il répondra spécifiquement à leurs besoins. Comme le disent Barker et Aptekar (1990) dans leur texte sur les interventions hors du foyer, c'est uniquement lorsque les placements inutiles et inappropriés auront été éliminés que les services hors foyer pourront être utilisés pour les fins auxquelles ils sont destinés et pour lesquelles ils sont efficaces.

Conclusion

Il devrait être acquis que le placement ne peut plus être fait avec une bonne conscience absolue. Miser stratégiquement sur l'école et la famille comme lieux d'intégration des interventions apparaît comme une orientation fondamentale.

Comme on l'a vu dans l'examen des critères de placement, l'un des critères déterminants est justement de proposer des mesures de maintien de l'enfant dans son milieu en intervenant avec l'intensité nécessaire. Pour reprendre ce que plusieurs ont déjà constaté, devant la diversité des besoins, il y a lieu d'offrir une diversité de services. Toute ressource, seule ou combinée à d'autres, qui contribue à répondre aux besoins des jeunes et de leur famille, dans leur milieu, est donc éminemment souhaitable, surtout si elle correspond aux modèles préconisés par Daro et Schorr. Pour forcer enfin l'implantation des ressources alternatives et rééquilibrer le continuum de services, l'introduction au Québec d'une législation semblable à la Public Law américaine 96-272 (ou d'une forme de moratoire sur le placement) serait sans doute à examiner sérieusement.

Toutefois, on ne peut se contenter de s'en remettre à une législation (une de plus...) pour prévenir le placement des jeunes. Il reste encore des travaux majeurs à entreprendre, non seulement en ce qui a trait à l'implantation de véritables solutions de rechange et à la mise sur pied de services intégrés aux jeunes, mais aussi au plan des pratiques et des attitudes, à celui de l'instrumentation et des critères, et plus généralement, du développement des connaissances et de l'évaluation de l'impact des mesures.

Les deux premiers objectifs de la politique de Santé et Bien-être (1: sur les abus sexuels, la négligence et la violence à l'endroit des enfants; 2: sur les troubles de comportement des enfants et des adolescents) visent à cet égard des cibles précises et pertinentes, tout en proposant des approches prometteuses. Il faudra toutefois des investissements majeurs et un leadership soutenu pour atteindre ces objectifs, tant du côté ministériel (principalement, par le ministère de la Santé et des services sociaux et le ministère de l'Education) que régionalement et sous-régionalement; la concertation inter-sectorielle et l'ancrage communautaire seront essentiels pour progresser de façon significative et durable. L'intégration des services via la famille notamment par des services intensifs et l'école, redéfinie comme porte d'accès aux services à l'enfance, contribuera de façon majeure à n'utiliser le placement que lorsqu'il est strictement nécessaire.

Après ce regard sélectif sur diverses alternatives au placement et après avoir souligné l'importance de bien implanter ces alternatives, il n'est pas inopportun de terminer par la citation suivante de Myriam David:

> *«Je crois qu'il faut toujours rappeler combien a été et est encore important de développer toutes ces ressources qui permettent le maintien de l'enfant au sein de sa famille et près d'elle, tant que c'est possible. Une telle politique a permis, en France, de réduire considérablement les placements temporaires et d'éviter pour un grand nombre d'enfants leur entrée dans les circuits, vecteurs de carence.»*❖

Child placement needs to be used in a more discriminative way. Placement decisions are often based on limited criteria (and unspecific instrumentation) and result from a lack of valid and available alternatives. Criteria proposed recently by the American Humane Association, Steinhauer and David are analysed and point to the fact that placement is an ultimate solution that must normally be preceded by diverse alternatives. A typology of alternatives (family, child and parent oriented) is presented and a rapid round-up of the literature is made on the results obtained with these alternatives. The importance of integrated and balanced children aid services is finally discussed, highlighting the strategical importance of focusing on the family and the school.

Références

American Humane Association. **Helping in child protective services.** Englewood: AHA, 1992.

Assailly JP. L'épidémiologie des placements d'enfants. In: **L'enfant placé: actualité de la recherche française et internationale.** Paris: CTNERHI, 1989.

Barker RE, Aptekar RR. **Out-of-home care: an agenda for the nineties.** Washington: CWLA, 1990.

Berry M. The assessment of imminence of risk of placement: lessons from a family preservation program. **Children Youth Serv Rev** 1991;13:239-256.

Berry R. **Aperçu général sur les agressions sexuelles contre les enfants.** Ottawa: Santé Bien-être Canada, 1989.

Boudreau J, Fortin A, Lebon A. **Recension exploratoire des alternatives au placement des jeunes.** Montréal: ASCCQ, 1993.

Boutin JG. Etude comparative des statistiques de placement d'enfants au Québec et en Ontario. **Adm Hosp Soc** 1974;7-11.

Chabot L. Les services de sauvegarde de la famille: une nouvelle façon de penser, une nouvelle façon d'agir dans les services sociaux à l'enfance. **CSSR** 1992;2(1).

Child Welfare League of America (CWLA). **Standards for in-home aide services for children and their families.** Washington: CWLA, 1990.

Cirillo S. **Familles en crise et placement familial: guide pour les intervenants.** Paris: ESF, 1988.

Cloutier R, Champoux L, Drapeau S. **Spécificité de l'organisation des services de garde en milieu défavorisé.** [Communication] Colloque québécois sur les Services de garde à l'enfance, 1992.

Cole E, Duva J. **Family preservation: an orientation for administrators and practitioners.** Washington: CWLA, 1990.

Comité de santé mentale du Québec. **Avis sur les enfants placés.** Québec: Ministère des affaires sociales, 1981.

Commission de protection des droits de la jeunesse. **Rapport annuel 1991-92.** Québec: Publications du Québec, 1992.

Conseil des affaires sociales. **De la protection des enfants au soutien des parents.** Québec: Conseil des affaires sociales, 1990.

Dagenais C, Bouchard C. **L'intervention en situation de crise en protection de la jeunesse: le point de vue de l'intervenant.** [Devis de recherche] Montréal: LAREHS, 1992.

Dagenais C, Bouchard C. Les programmes de soutien intensif aux familles: intervention massive ou intervention magique? **P.R.I.S.M.E.** 1993;3(4): 504-515.

Dallaire N, Chamberland C. **L'efficacité du programme «parents efficaces» auprès de parents bénificiant du soutien d'un groupe «Parentraide».** [Manuscrit]

Daro D. **Confronting child abuse: research for effective program design.** New York: Free Press, 1988.

Darveau-Fournier LP, Home AM. Le groupe au service des familles: analyse comparative de deux types d'intervention complémentaires. **Service Social** 1990;39(1):75-96.

David M. **Le placement familial: de la pratique à la théorie.** Paris: ESF, 1989.

Diorio G. Les enfants victimes de maltraitance: une étude clinique. **P.R.I.S.M.E.** 1992;3(1):32-39.

Fédération des CLSC. **Cadre de référence «Enfance-familles-jeunesse» des CLSC.** Montréal: Fédération des CLSC, 1992.

Garant L. **Facteurs de risques et placements d'enfants en soins d'accueil**. MSA, 1980.

Garant L. **Les programmes de soutien familial: une alternative au placement des jeunes?** Québec: Service de l'évaluation, MSSS, 1992.

Garbarino J, Dubrow N, Kostelny K, Pardo C. **Children in danger.** San Francisco: Jossey-Bass, 1992.

Gaudin JM, Polansky N, Kilpatrick AC. The Child Well-being Scales: a field trial. **Child Welfare** 1992;71(4):319-328.

Gauthier MC. L'intervention auprès des jeunes familles en difficulté. **P.R.I.S.M.E.** 1992;3(1):40-49.

Gelles RJ. Child protection more important than family reunification. **Brown Univ Child Behav Dev Letter** 1992.

Gouvernement de l'Ontario. **Les enfants d'abord - Rapport du Comité consultatif sur les services à l'enfance.** Toronto: 1990.

Gouvernement du Québec. **Politique de santé et bien-être.** Québec: MSSS, 1992.

Grizenko N, Papineau D, Sayegh L. **Evaluation of the effectiveness of a multimodal psychodynamically-oriented day treatment program for children with behavior problems and the success of their scholastic reintegration.** Québec: Conseil québécois de la recherche sociale (RS1649), 1992.

Jones MA. **A second chance for families - five years later: follow up of a program to prevent foster care.** New York: CWLA Research Center, 1985.

Kent J. A follow-up study of abused children. **J Ped Psychol** 1976;1(2):25-31.

Lavoie L. **Mise en place de mécanismes de décision relatifs aux demandes de placement d'enfants et du cheminement de ces cas.** Montréal: CSSMM, 1979.

Leblanc M, Beaumont H. **La réadaptation dans la communauté au Québec: inventaire des programmes.** (Commission d'enquête sur les services de santé et les services sociaux, no 40). 1987.

Magura S, Moses BS. **Measures for Child Welfare Services.** Washington: CWLA, 1986.

Morris N, Tonry M. **Between prison and probation.** New York: Oxford University Press, 1990.

Nelson K. **Assessing risk of placement in family preservation services.** [Manuscrit] University of Iowa, 1992.

Odesse M, Trottier G. **Inventaire d'instruments de mesure pour l'évaluation d'adolescents en difficulté.** Québec: CRSC, 1992.

Ooms T, Beck D. **Keeping troubled families together: promising programs and statewide reform.** Family Impact Seminar, Washington, 1990. [Traduit par Laurent Chabot sous le titre «Garder ensemble les familles en difficulté: programmes prometteurs et réformes d'États»] CSSR, 1992.

Paradis J, Perron A, Dubé J. Un programme d'évaluation et de traitement des abus sexuels intrafamiliaux. **P.R.I.S.M.E.** 1992;3(1):123-132.

Petersilia J. Conditions that permit intensive supervision programs to survive. **Crime Delinquency** 1990;36(2):126-146.

Rapport d'activités des directeurs de la protection de la jeunesse: 1988-1990. ACSSQ, 1991.

Rapport du Comité d'étude sur la réadaptation des enfants et adolescents placés en centre d'accueil (Rapport Batshaw). 1975.

Rapport du Groupe de travail pour les jeunes - Un Québec fou de ses enfants (Rapport Bouchard). Québec, MSSS, 1991.

Rapport du Groupe de travail sur l'évaluation de la Loi sur la protection de la jeunesse - Plus d'une Loi. Québec: MSSS/ Ministère de la Justice, 1992.

Rapport du Groupe de travail sur l'application des mesures de protection de la jeunesse - La protection sur mesure (Rapport Harvey). Québec: MSSS/Direction générale de la prévention et des services communautaires, 1991.

Roberge P. **Le système québécois d'aide aux jeunes en difficulté et leurs parents: esquisse et questions.** (Etude et analyses, no 12) Québec: MSSS, 1991.

Rossi PH. Assessing family preservation programs. **Children Youth Serv Rev** 1992;14:77-97.

Ryan P, Warren BL, Wiencek P. **Analysis of the removal of the perpetrator vs removal of the victim.** Eastern Michigan State

University, National Foster Care Resource Center, 1993.

Schorr L, Schorr D. **Within our reach: breaking the cycle of disadvatange.** New York: Doubleday, 1988.

Seaberg JR. Child well-being scales: a critique. **Soc Work Res Abstr** 24.3:9-15.

Simard M, Vachon J. **La politique de placement des enfants: étude d'implantation dans deux régions du Québec.** (Commission d'enquête sur la santé et les services sociaux, recherche # 44). 1987.

Soulé M. Conclusion. In: **L'enfant placé: actualité de la recherche française et internationale.** Paris: CTNERHI, 1989.

St-Antoine M. **La souffrance de l'enfant placé: à la recherche de l'objet perdu.** [Manuscrit] 1993. 17p.

Steinhauer PD. **The least detrimental alternative: a systematic guide to case planning and decision making for children in care.** Toronto: University of Toronto Press, 1991. 426p.

Tracy EM. Defining target population for family preservation services. In: Wells K, Biegel DE. **Family Preservation Services.** Newbury Park: Sage Publications, 1991:138-158.

Tremblay J. **Dossier l'Escale.** CPEJ, 1992. 43p.

Vézina A, Pelletier D. **L'ICBE: un support au diagnostic et àl'intervention.** CRSC, 1992. 95p.

Wald M, Carlsmith JM, Leiderman PH, Smith C, De Sales French R. **Protecting abused and neglected children.** Stanford University Press, 1988. 239p.

Wald Wollverton, Risk Assessment: the Emperor's new clothes ? **Child Welfare**, 1990, 69, 483-511.

Wells K, Biegel DE. **Family Preservation Services.** Newbury Park, Sage Publications, 1991.

BOISVERT, G., *Éclat #19*, 1990.

INTERVENTION MASSIVE OU INTERVENTION MAGIQUE?

Les programmes de soutien intensif aux familles

Christian DAGENAIS
Camil BOUCHARD

Christian DAGENAIS est agent de recherche au Laboratoire de recherche en écologie humaine et sociale (LAREHS) et est étudiant au doctorat en psychologie communautaire de l'Université du Québec à Montréal.
Camil BOUCHARD est directeur du LAREHS et professeur au département de psychologie de l'UQAM. Il a présidé le Groupe de travail pour les jeunes.

La rédaction de cet article a été rendue possible grâce à une subvention du Conseil québécois de la recherche sociale.

«...le premier jour est pour l'engouement, le second pour la critique».

Laharpe

En Amérique du Nord, la plupart des provinces et des états ont adopté des lois qui rendent obligatoire le signalement d'actes pouvant menacer la sécurité et le développement des enfants. L'expérience montre que l'accent mis sur l'évaluation et la protection des enfants mobilise massivement et prioritairement les ressources et laisse peu de place au traitement pour changer ou améliorer les habiletés parentales (Coulborn Faller, 1985). Au Québec, alors que la Loi sur la Protection de la Jeunesse vise à maintenir l'enfant dans son milieu naturel[1] et à améliorer les habiletés parentales[2], le recours au placement constitue la solution la plus fréquemment utilisée par les intervenants (Roy, Lépine & Robert, 1990).

Comme le souligne le rapport du Groupe de travail sur l'application des mesures de protection de la jeunesse: «Les interventions visant à renforcer les capacités parentales sont souvent déficientes...On a trop tendance à se substituer aux parents plutôt que de faire les efforts nécessaires pour les responsabiliser» (Boucher & Harvey, 1991). Ainsi, les services auraient tendance à focaliser leurs actions sur l'aspect curatif de l'intervention (cf. placement comme solution) plutôt que sur la prévention et les mesures de soutien aux parents (Roy, Lépine & Robert, 1990).

Afin de restreindre le recours à la mesure de placement et réduire les listes d'attente, le groupe de travail sur l'application des mesures de protection de la jeunesse (Boucher & Harvey, 1991) recommande de mettre sur pied des projets d'intervention appropriés aux familles en situation

Afin de restreindre le recours à la mesure de placement et de réduire ainsi les listes d'attente, le rapport Boucher & Harvey recommande de mettre sur pied des projets d'intervention en situation de crise. Cet article vise à faire le point sur l'état actuel de la recherche évaluative concernant ces programmes de soutien intensif aux familles (PSIF). Malgré des résultats généralement positifs, les évaluations actuellement disponibles n'apportent que des réponses partielles à un certain nombre de questions fondamentales. Les auteurs tentent de circonscrire ces questions et proposent une approche de recherche applicable aux expériences québécoises.

de crise. Cette recommandation s'appuie sur les expériences récentes de projets menés conjointement par des centres de services sociaux et des centres de réadaptation (Bisaillon, 1990; Carignan & Lajoie, 1990; Lajoie & Gaudreau, 1991). Elle fait la promotion du développement de nouveaux modes d'intervention offrant un soutien intensif aux familles et viserait les placements inappropriés d'enfants. Les activités de ces programmes reposent sur le postulat suivant: *«On peut éviter le placement d'un enfant en offrant rapidement, à domicile, un support massif à la famille de façon à développer ses habiletés pour faire face à la situation de crise et ainsi écarter les risques de compromission de l'enfant»* (Dagenais, 1993, p.7).

Le présent article s'appuie sur le recensement et l'analyse de nombreux rapports de recherche, de publications scientifiques et de monographies (y compris deux importants documents québécois: Boudreau, 1993 et Garant, 1992, retracés par les banques de données informatisées notamment PsycLit), les fichiers de bibliothèques ainsi que par le biais d'organismes chargés du financement et/ou de l'évaluation des programmes de soutien intensif aux familles (Child Welfare League of America, National Resource Center on Family Based Services, Center for the Study of Social Policy, etc.). L'objectif du présent travail est de faire le point en ce qui a trait aux conclusions que l'on peut tirer à partir des études évaluatives de ces programmes en intervention de crise. Deux questions se posent: 1) Sont-ils efficaces à protéger l'enfant et à améliorer le fonctionnement familial? 2) Permettent-ils d'éviter des placements inopportuns?

Les types de programmes

C'est vers le milieu des années 70 qu'apparaissent aux Etats-Unis les services d'intervention de crise visant à prévenir le placement (Nelson, Landsman & Deutelbaum, 1990). La nécessité d'éviter les effets négatifs liés à ces mesures (coûts élevés, ordonnances à répétition, dépendance institutionnelle, difficulté de réinsérer l'enfant dans sa famille, etc.) constitue le leitmotiv de ces programmes. On a vu, au cours des deux dernières décennies, se multiplier une foule de nouveaux Programmes de Soutien Intensif aux Familles (PSIF)[3]. Le mieux connu porte le nom de «Homebuilders» et s'adresse à des familles aux prises avec une situation qui risque de mener au placement d'un ou de plusieurs de leurs enfants.

Les PSIF visent trois objectifs principaux: 1) assurer la sécurité du jeune et de sa famille, 2) améliorer le fonctionnement de la famille, 3) tenter en dernier recours d'éviter un placement non nécessaire. Nous décrirons brièvement deux des modèles les plus courants et au sujet desquels la littérature évaluative a récemment connu un essor considérable. Il s'agit des modèles «Homebuilders» et «Home-Based». Chacun d'eux repose sur des concepts théoriques différents et une philosophie distincte, vise une population cible différente et varie sur le plan de l'organisation des services, des charges de cas, de l'intensité et de la durée de l'intervention. On retrouvera au Tableau 1 l'ensemble des éléments conceptuels et empiriques considérés dans la mise en oeuvre et le fonctionnement des PSIF.

Le modèle «Homebuilders» Le modèle «Homebuilders» repose sur la théorie de l'intervention de crise qui postule que lors du déclenchement d'une crise, la famille manifeste plus d'ouverture à recevoir de l'aide. Cette théorie repose sur une définition temporelle de la crise, décrite comme: *«une période relativement courte de déséquilibre psychologique chez une personne confrontée à un événement dangereux qui représente un problème pour elle, et qu'elle ne peut fuir ni résoudre avec ses ressources habituelles de solution de problème»* (Caplan, 1964; in: Lecomte et Lefebvre, 1986, p.123). Cette assise théorique justifie une intervention rapide (généralement en moins de 24 heures), massive (en moyenne 10 heures par semaine) et limitée dans le temps (de 4 à 6 semaines).

Ce programme offre des services 24 heures par jour, 7 jours par semaine, durant une période allant de 30 à 45 jours. La charge de cas des intervenants ne dépasse pas trois familles et l'intervention se déroule à domicile. Comme dans tous les programmes de soutien intensif aux familles, les «Homebuilders» utilisent des stratégies diverses provenant de plusieurs écoles de pensée: reformulation, écoute active, restructuration cognitive, recadrage, paradoxe, etc. Les buts de l'intervention sont définis en grande partie en fonction des priorités de la famille et de sa perception du problème. Ainsi les services offerts comportent un support concret tel que transport, aide financière, magasinage, travaux ménagers, garde d'enfant, etc. (Ooms & Beck, 1991; Nelson et al., 1990; Kinney, Haapala & Booth, 1991; Pecora, Frazer et Haapala, 1992).

Le modèle «Home-Based» Le prototype de ce modèle d'intervention porte le nom de

Tableau 1

CHAINE CAUSALE

CLIENTÈLE CIBLE
Familles en crise
1. Parce que les organismes de protection de l'enfance se préparent à placer un ou plusieurs enfants de la famille
2. Parce que la famille menace de chasser son/ses enfant(s)
3. Parce qu'un enfant refuse de retourner chez lui.

PROBLÉMATIQUE
1. Effets négatifs liés au placement (ex.: ordonnances à répétition, dépendance institutionnelle, difficulté de réinsérer l'enfant dans sa famille, etc.)
2. Coûts élevés des placements
3. Certains placements ne solutionnent pas les problèmes des familles (donc, placement à répétition)
4. Certains placements pourraient être évités.

CAUSES POSTULÉES
1. Rythme d'intervention trop lent
2. Intensité d'intervention trop faible
3. Recherche de solutions exclusivement à l'intérieur de la dynamique microsystémique familiale
4. Mythe du placement «sauvetage»
5. Doute face aux capacités des familles à apprendre et à changer certains modes de fonctionnement.

STRATÉGIES D'INTERVENTION
1. Accès rapide aux services (généralement, en moins de 24 heures)
2. Encadrement intensif (présence massive de l'intervenant)
3. Intervention à domicile
4. Mobilisation des ressources familiales, institutionnelles et communautaires
5. Disponibilité 24/7 (tel. personnel, téléavertisseur)
6. Intervention limitée dans le temps, suivi d'une relance formelle ou informelle.

ACTIVITÉS OFFERTES
1. Entrevues familiales
2. Entrevues individuelles (parents ou enfants)
3. Communications téléphoniques régulières
4. Concertation avec les autres intervenants ou organismes concernés
5. Promotion des ressources du réseau (formelles et informelles)
6. Support concret (aménagement de répit pour les parents, entretien ménager, dépannage financier, etc.)

ÉTAPES DE L'INTERVENTION*
1. Assurer la sécurité du jeune et de sa famille
2. Etablissement d'un lien de confiance
3. Supervision de la situation
4. Évaluation des forces et du problème auquel la famille fait face
5. Formulation des buts (avec la famille)
6. Aider la famille à répondre à ses besoins de base
7. Processus de résolution de problème
8. Conclusion de l'intervention et relance (informelle)

OBJECTIFS IMMÉDIATS
1. Résorption de la situation de crise OU de la menace à la sécurité et/ou au développement
2. Ramener la famille au moins au niveau de fonctionnement précédant la crise
3. Amélioration du fonctionnement de la famille
4. Élargissement du réseau de soutien

OBJECTIFS DE RÉSULTATS
Maintien de l'enfant dans son milieu

ASSISES THÉORIQUES
1. Théorie de l'intervention de crise
2. Théorie des systèmes familiaux
3. Théorie de l'apprentissage social
4. Modèle écologique

* Ces étapes d'interventions sont tirées de la monographie de Kinney et al. (1991) et concernent les «Homebuilders». Les programmes qui s'inspirent de ce modèle peuvent mettre en place un protocole d'intervention différent.

«Families» et vise surtout les problèmes associés à la période de l'adolescence. La théorie des systèmes familiaux et la théorie de l'apprentissage social constituent les cadres de référence de «Families». On y considère la famille comme un tout en interaction avec la communauté (Barth, 1990). La théorie des systèmes familiaux encourage l'utilisation d'un large éventail de techniques d'intervention: recadrage, paradoxe, développement des habiletés de communication, entraînement des parents, etc. La théorie de l'apprentissage social reconnaît l'importance des cognitions dans l'apprentissage et la modification de comportements. Selon cette théorie, les motivations à apprendre et à utiliser de nouvelles habiletés sont fortement influencées par les attentes des familles face aux changements possibles. Si les membres de la famille n'ont pas d'espoir que leur situation s'améliore, il y a peu de chances qu'ils soient motivés à apprendre et à utiliser de nouvelles habiletés. L'intervention vise à rendre plus adéquats les liens, les perceptions et la communication entre la famille et l'environnement. A l'instar des «Homebuilders», les services comprennent un support concret à domicile. Les charges de cas peuvent compter jusqu'à 12 familles par intervenant, qui sont suivies pendant une période moyenne de 4.5 mois (Nelson et al., 1990).

Même s'il n'existe aucune intégration des différentes théories dans un «modèle de traitement», l'intervention «Homebuilders» et «Home-Based» s'inspire largement du modèle écologique en mettant fortement l'accent sur les ressources des familles et de la communauté. On considère donc l'individu et sa famille comme des éléments d'un système beaucoup plus vaste et complexe avec lequel ils interagissent et sont engagés dans des séquences d'influences mutuelles. Dans cette perspective, la famille se retrouve au centre du modèle, ce qui permet de rendre compte de toute la complexité de son organisation.

Trois éléments caractérisent le modèle écologique: a) une structure dynamique, car les influences internes et externes demandent des ajustements constants de tout le système, b) des interconnections, car les différents systèmes sont «connectés» non seulement entre eux, mais les individus qui les composent font à la fois partie de plusieurs de ces sous-systèmes et c) des influences mutuelles (interactions) entre l'individu, la famille et son environnement (Bronfenbrenner, 1979; 1986; 1989).

Les résultats de la recherche évaluative

Jusqu'à tout récemment, la recherche évaluative rapportait des résultats spectaculaires, les taux de succès à prévenir le placement variant entre 78% et 93% (Kinney, 1988; in Sesan et al., 1990). Cependant, malgré ces résultats positifs et l'engouement entourant ces programmes, une analyse plus approfondie nous met en garde contre un optimisme prématuré, car la plupart des évaluations disponibles ne permettent pas d'établir avec certitude l'efficacité de telles approches.

Ces études présentent à peu près toutes des faiblesses méthodologiques, telles des échantillons trop petits ou non aléatoires, l'absence de groupes de comparaison rigoureusement appariés, des programmes qui ne sont pas encore à maturité et qui sont trop souvent évalués avec précipitation, des critères de succès pas toujours clairs, des définitions opérationnelles imprécises ou encore des analyses statistiques trop simples (Rossi, 1992a, 1992b; Thieman et Dall, 1992; Frankel, 1992; Metcalf et Thornton, 1992; Lamb et Sternberg, 1992). L'état actuel de la recherche et de l'intervention ne permet donc pas de déterminer clairement les éléments qui assurent le succès des programmes et qui en faciliteraient la dissémination. Comme le souligne Garant (1992): «Ils sont au mieux des indicateurs de tendances qui requièrent encore de solides vérifications» (p.33).

Cependant, certaines études récentes parviennent à contourner les plus graves faiblesses méthodologiques et engendrent des indicateurs de tendances plus robustes. Ces recherches, qui comparent les résultats obtenus dans le cadre du programme à ceux observés dans des groupes contrôles distribués aléatoirement[(4)], présentent des résultats plus nuancés. Par exemple, l'étude de Schwartz, AuClaire et Harris (1991) rapporte des taux de succès à prévenir le placement de 91% et 56% pour les groupes «cible» et «contrôle». Toutefois, lorsque les analyses tiennent compte des placements opérés dans la famille élargie et chez des amis, la différence entre les deux groupes s'estompe et n'atteint plus le seuil de signification.

Le fait de procéder à des cueillettes de données sur des périodes de temps plus longues permet aussi de dégager des conclusions plus prudentes. Ainsi, douze mois après l'intervention, Feldman (1990) obtient des taux de succès à éviter le placement de 46% et 58% respectivement pour les groupes contrôle et traitement, ce qui, malgré une tendance dans la direction des résultats souhaités, ne constitue pas une différence significative. Pourtant, pendant la période de un à neuf mois suivant l'interruption des services, les résultats laissent nettement voir une différence entre les deux groupes. L'étude de Yuan et Rivest (1990), portant sur une période de neuf mois, aboutit également à des résultats non significatifs.

Outre ces résultats qui soulèvent d'importantes interrogations, il n'en demeure pas moins que la nouvelle génération de recherches évaluatives apporte un certain nombre de précisions. Ces études permettent de constater que:

1) les programmes ont pour effet de retarder les placements (Feldman, 1990; Yuan & Rivest, 1990; Wells & Biegel, 1991, 1992),
2) même si certains placements ne peuvent être évités, la durée moyenne ainsi que le degré d'encadrement de ceux-ci se trouvent réduits par rapport aux groupes contrôle (Wells & Biegel, 1992),
3) il existe une étroite relation entre la fréquentation scolaire et le succès de l'intervention (Nugent, Carpenter & Parks, 1993),
4) l'intervention semble plus efficace auprès des familles signalées pour abus que pour négligence[(5)] (Bath & Haapala, 1993; Yuan & Struckmen-Johnson, 1991),

5) il y a un lien entre le taux de succès d'un programme et l'offre de support ou de services concrets (Garbarino, Guttman & Wilson-Seeley, 1986; Thieman & Dall, 1992).

Malgré ces précisions, la recherche empirique ne parvient cependant toujours pas à répondre à quatre questions fondamentales. Premièrement, dans quelle mesure les enfants de ces familles sont-ils protégés de mauvais traitements de toutes sortes et pour combien de temps? Compte tenu de l'importance qu'accorde la Loi sur la protection de la jeunesse à protéger l'enfant des menaces à sa sécurité et à son développement, cette première question s'avère cruciale. Elle vise à s'assurer que l'intervention ne maintient pas «à tout prix» l'enfant dans une situation de risque inacceptable. Deuxièmement, quels sont les impacts de l'intervention sur le fonctionnement des enfants et des familles? La réponse à cette seconde question implique l'identification préalable des facteurs de risque de placement afin de permettre d'observer jusqu'à quel point les services entraînent une réduction de ces facteurs. Troisièmement, quelles sont les conditions requises à la dissémination de ces programmes? Cette question réfère au processus d'intervention et à une recherche plus précise des composantes fondamentales de ces programmes, de façon à en permettre une implantation adéquate. Et finalement, dans quelles conditions ces interventions sont-elles les plus efficaces? Cette question porte sur les éléments, tels la nature de la crise, le type de menace au développement de l'enfant, la structure familiale, etc. La section suivante présente une approche de recherche qui, croyons-nous, devrait contribuer à éclaircir ces questions.

Considérations méthodologiques

L'évaluation d'implantation Plusieurs auteurs insistent sur l'importance de la période d'ajustement nécessaire à l'implantation adéquate d'un programme (Rossi, 1992a, 1992b; Thieman & Dall, 1992; Frankel, 1988; Frazer, 1990). Cette période permet de faire une «mise au point fine» (fine-tuning) du programme, ce qui est nécessaire à la maturation de celui-ci. Toute tentative de procéder prématurément à une évaluation systématique des résultats ne pourrait vraisemblablement mener à des résultats valides. Dans le cas où l'on obtiendrait des résultats positifs, ils pourraient aussi bien être attribuables à l'enthousiasme du personnel face à un nouveau programme qu'à l'efficacité de celui-ci, ce qui constitue une menace importante à la validité de la recherche.

Suite à cette période d'ajustement, l'évaluation d'implantation permet de vérifier si le projet présente les composantes d'un PSIF et accroît la validité des comparaisons possibles. Dans le cas qui nous préoccupe, ces mesures d'implantation concernent spécifiquement six variables: la rapidité, l'intensité, la souplesse, la mobilisation des ressources extérieures à la famille, la disponibilité et la durée de l'intervention (Dagenais, 1993)

L'établissement d'un lien de causalité

L'évaluation d'un programme doit permettre de déterminer si les changements observés sont provoqués par les interventions réalisées. Il s'agit donc de comparer les résultats obtenus par le programme aux conditions qui prévalent en son absence. Le défi de la recherche évaluative consiste alors à présenter des résultats qui vont au-delà de la simple énumération des taux de placement et à démontrer l'existence d'un lien de causalité entre l'intervention et les résultats.

L'établissement de la plausibilité de ce lien constitue la plus grande difficulté de ce type d'évaluation (Frazer, 1990; Bickman, 1990; Frankel, 1990; Rossi, 1992a, 1992b). Un plan d'évaluation utilisant une mesure «pré-post» (avant et après l'intervention) seule s'avère inadéquat pour mesurer le changement. De fait, ce schème ne permet pas de savoir ce qui se serait produit si la famille n'avait pas bénéficié de ces services, car il ne tient pas compte du passage du temps. Dans le cadre d'une intervention auprès d'une famille aux prises avec une crise d'une durée limitée, cette variable prend une importance capitale. La façon de faire consiste donc à comparer les familles recevant les services à un groupe contrôle de familles possédant les mêmes caractéristiques et aux prises avec le même type de problème. Cependant, la constitution de tels groupes contrôle pose un problème d'ordre éthique, car la Loi sur la protection de la jeunesse stipule que toutes les familles doivent nécessairement recevoir des services. Rossi (1992b) suggère, pour contourner cette difficulté, de procéder à un échantillonnage aléatoire des deux groupes (traitement et contrôle) en offrant aux familles du groupe contrôle les services courants.

La précision du cadre conceptuel

Les PSIF reposent sur des prémisses et des modèles du dysfonctionnement familial (Barth, 1990). Ces modèles doivent être explicités davantage, notamment au niveau de l'identification des variables intermédiaires qui, autrement, demeurent implicites. Ainsi, l'évaluation des impacts devrait porter sur le degré de changement observé, par exemple, au niveau du fonctionnement ou des dynamiques familiales, de l'organisation physique ou matérielle de la vie familiale, des relations entre les familles et les ressources de la communauté, des problèmes présentés par certains membres de la famille (abus de drogue et d'alcool, dépression...), de la qualité des relations dyadiques, etc.

L'évaluation de ces variables permet de répondre à la question de l'impact sur le fonctionnement familial, de définir des priorités d'intervention spécifiques à chaque famille touchée par le programme et de mettre à l'épreuve les modèles d'explication de la crise et les modèles d'impact de l'intervention.

Le type de problématique

D'autre part, Rossi (1992b) insiste sur l'importance de considérer les types de mauvais traitements comme «niveaux d'une variable» afin de pouvoir distinguer les contextes dans lesquels l'intervention s'avère le plus efficace. A ce sujet, Feldman (1990) souligne que certains résultats démontrent l'échec d'un programme visant à éviter le placement, et ceci simplement à cause d'un mauvais choix de clientèle cible.

Dans un revirement aussi inattendu que spectaculaire, Gelles (1992), depuis longtemps promoteur du soutien aux familles, déclarait qu'il allait désormais plaider en faveur d'un objectif prioritairement associé avec la protection de l'enfant. Selon lui, 30% à 50% des enfants tués par leurs proches ont déjà été identifiés par les agences de services impliquées dans des interventions visant à les maintenir ou à les réintroduire dans leur famille. En conséquence, il suggère d'exclure toute possibilité de maintien de l'enfant dans son milieu dans les cas de victimisation très grave où l'assuétude des parents à la drogue, par exemple, ou à des pulsions de violence ou sexuelles incontrôlables a déjà abouti à un manquement grave au devoir parental.

Les données concernant le suivi et le placement

Ces données concernent non seulement les taux de succès à éviter le placement des enfants/adolescents, mais aussi des informations au sujet des suivis et des placements effectués dans le cadre du projet, soit: le type de suivi et de placement, le nombre, la durée, le type d'encadrement et la proportion de jours selon la durée de la cueillette de données.

Ces renseignements aideront à établir si le projet permet: 1) de maintenir plus souvent les enfants/adolescents dans leur milieu que lorsque ceux-ci reçoivent les services traditionnels, et 2) de constater non seulement les pourcentages de suivis et de placements au terme de l'intervention, mais aussi de fournir des informations plus fines sur la nature et la durée de ceux-ci.

Une distribution aléatoire des familles

Compte tenu des considérations énoncées plus haut, nous estimons qu'un plan d'évaluation expérimental comprenant un groupe traitement et un groupe contrôle constitués aléatoirement avec des mesures répétées sur les deux groupes constitue le schème le plus puissant. Afin d'éviter un biais très souvent observé dans les rapports d'évaluations publiés (Rossi, 1992a; 1992b), l'assignation des familles dans chacun des groupes devrait être déterminée à l'avance par l'évaluateur (en utilisant par exemple un programme informatique de sélection aléatoire).

Un second biais commun à un grand nombre d'évaluations pourra être évité en maintenant les familles qui refusent les services dans le groupe traitement (Rossi, 1992a; 1992b). Cette recommandation se justifie par le fait qu'un groupe constitué uniquement de familles qui acceptent de collaborer ne peut être comparé à un groupe comprenant des familles moins volontaires. L'exclusion de ces familles du groupe traitement compromet donc sérieusement la validité d'une étude évaluative, car il n'est pas possible d'estimer combien de familles du groupe contrôle auraient refusé les services. Cependant, comme il s'avère souvent difficile de procéder à l'administration de questionnaires auprès des familles qui refusent le traitement, seules les données concernant le placement peuvent alors être compilées pour celles-ci.

Le choix d'un devis simple, mais comportant un groupe contrôle constitué aléatoirement, permettra d'établir un lien de causalité entre le service offert et les résultats obtenus, de vérifier si le programme d'intervention mis en place réussit à améliorer le fonctionnement des familles et finalement, de fournir des indications supplémentaires quant à l'efficacité de ce type d'approche.

Conclusion

Les programmes de soutien intensif aux familles marquent actuellement, au Québec, un important virage des pratiques en protection de la jeunesse. Cette mutation veut replacer l'enfant et sa famille au centre des préoccupations des intervenants. Les programmes qui découlent du modèle «Homebuilders» sont des plus prometteurs. Cependant, comme le soulignent Wells et Biegel (1991): «Nous ne pouvons pas encore dire jusqu'à quel point les Programmes de soutien intensif aux familles sont efficaces.» (p.243)[6]. Comme beaucoup de questions concernant le processus d'intervention et les éléments qui assurent le succès de ces programmes demeurent encore obscures, la dissémination de ceux-ci exige d'autant plus de précautions.

Dans l'histoire récente de la pratique sociale au Québec, plusieurs expériences, bien que prometteuses, sont demeurées peu évaluées et sans suite (Gauthier, 1992). Deux documents majeurs, publiés récemment, témoignent de l'importance de pousser plus loin les connaissances concernant les programmes de soutien intensif aux familles. Il s'agit de la «Recension exploratoire des alternatives au placement des jeunes» effectuée par Jean Boudreau (1993), ainsi que de l'analyse faite par Louise Garant (1992) des programmes de soutien familial. Tous deux s'entendent sur un objectif commun: l'évaluation rigoureuse de ces pratiques.❖

The latest Quebec report on child protection (Boucher & Harvey, 1991) has proposed to implement family crisis intervention strategies in order to reduce both child placement and waiting lists. This paper examines the actual state of the art in evaluation studies which address the impact of various forms of family crisis intervention programs. Despite very positive outcomes announced earlier, the latest studies have shown that we are still far from answering the fundamental questions dealing with dimensions of process and impact of those programs. Proposals are made as to which conceptual and methodological matters should be addressed in future studies.

Notes

1 L'article 4 de la LPJ stipule que: «...toute décision prise en vertu de la présente loi doit tendre à maintenir l'enfant dans son milieu parental».
2 Gouvernement du Québec, Manuel de référence sur la loi de la Protection de la Jeunesse, Québec, 1989, p.23-24.
3 Cette appellation réfère aux programmes connus sous les noms de: Alternatives au placement; Sauvegarde de la famille; Intervention rapide, massive et concertée; Services de prévention de placement; Families; Home-Based; Homebuilders; Intervention de crise; Families First.
4 Il importe ici de souligner que très peu d'études comprennent un groupe contrôle avec distribution aléatoire des sujets. Nos recherches ne nous ont rapporté que celles de Feldman (1990) Yuan & Rivest (1990) et AuClaire & Schwartz (1991).
5 Notons que la recherche de Bath & Haapala (1993), quoique récente, est une étude rétrospective reprenant des résultats antérieurs et qu'elle ne comporte pas de groupe de comparaison. Ces résultats doivent donc être interprétés avec prudence. Cependant, les résultats de Yuan &Struckman-Johnson (1991) sont tirés d'une étude qui contourne ces difficultés méthodologiques et vont dans le même sens, ce qui permet de considérer ces résultats suffisamment robustes.
6 notre traduction.

Références

AuClaire P, Schwartz I. **An evaluation of the effectiveness of an intensive home-based services as an alternative to placement for adolescents and their families.** Minneapolis: University of Minnesota, Hubert H. Humphrey Institute of Public Affairs, 1986.

Barth RP. Theories guiding home-based intensive family preservation services. In: Whittaker JK, Kinney J, Tracy EM, Booth C. (Eds). **Reaching high-risk families: intensive family preservation in human services.** New York: Aldine de Gruyter, 1990.

Bath HI, Haapala DA. Intensive family preservation services with abused and neglected children: an examination of group differences. **Child Abuse Negl** 1993;17:213-225.

Bickman L. Study design. In: Yuan YYT, Rivest M. (Eds). **Preserving families: evaluation ressources for practitioners and policymakers.** Newbury Park: Sage, 1990: 132-166.

Bisaillon S. **Un projet conjoint: Direction de la protection de la jeunesse, Equipe RTS et le Centre de réadaptation Habitat-Soleil.** [Rapport d'évaluation, inédit]. Habitat-Soleil, 1992.

Boucher L, Harvey J. **La protection sur mesure: un projet collectif - Rapport du groupe de travail sur l'application des mesures de protection de la jeunesse.** Québec: Ministère de la santé et des services sociaux, 1991.

Boudreau J. **Recension exploratoire des alternatives au placement des jeunes.** [Document de travail inédit]. 1993.

Bronfebrenner U. **The ecology of human development: experiments by nature and design.** Cambridge: Harvard University Press, 1979.

Bronfebrenner U. Ecology of family as a context for human development: research perspectives. **Dev Psychol** 1986;22:723-742.

Bronfebrenner U. Ecological system theory. In: Vasta R. (Ed.) **Annals of child development.** Greenwich: Jai Press, 1989.

Carignan M, Lajoie J. **La crise apprivoisée... l'enfant moins déraciné.** (Projet d'intervention aux Urgences de jour de la Direction de la protection de la jeunesse) [Rapport d'évaluation inédit]. Montréal: Centre d'accueil Marie-Vincent et le C.S.S.M.M., 1989.

Coulborn Faller K. Unanticipated problems in the United States child protection system. **Child Abuse Negl** 1985;9:63-69.

Dagenais C. **L'intervention en situation de crise.** (Projet conjoint C.S.S.L.L. / Vert-Pré) [Devis d'évaluation inédit]. Montréal: LAREHS, 1993.

Feldman L. Target population definition. In: Yuan YYT, Rivest M. (Eds). **Preserving families: evaluation ressources for pratitioners and policymakers.** Newbury Park: Sage, 1990.

Frankel H. Family-centered home-based services in protection: a review of the research. **Soc Serv Rev** 1988;62:137-157.

Fraser M. Program outcomes measures. In: Yuan YYT, Rivest M. (Eds). **Preserving families: evaluation ressources for pratitioners and policymakers.** Newbury Park: Sage, 1990.

Garant L. **Les programmes de soutien familial: une alternative au placement des jeunes?** Québec: Service de l'évaluation-prévention et services communautaires, 1992.

Gauthier MC. L'intervention auprès des jeunes familles en difficultés. **P.R.I.S.M.E.** 1992;3:40-49.

Gelles RJ. Child protection more important than family reunification. **Brown Univ Child Beh Dev Letter** 1992.

Kinney J, Haapala D, Booth C. **Keeping families together: the home-builders model.** New York: Aldine de Gruyter, 1992.

Lajoie J, Gaudreau P. **A l'écoute des adolescents et de leurs parents: projet d'intervention à la Direction de la protection de la jeunesse - rapport d'évaluation.** Montréal: C.S.S.M.M. et Centre de services de réadaptation Habitat Soleil, 1991.

Lamb ME, Sternberg KJ. Establishing the design. **Children Youth Serv Rev** 1992;14:157-165.

Lecompte Y, Lefebvre Y. L'intervention en situation de crise. **Santé Mentale Qué** 1986;11:122-142.

Metcalf CE, Thornton C. Random assignment. **Children Youth Serv Rev** 1992;14:145-156.

Nelson KE, Landsman MJ, Dentelbaum W. Three models of family-centered placement prevention services. **Child Welfare** 1990;69:1-21.

Nugent WR, Carpenter D, Parks J. A statewide evaluation of family preservation and family reunification services. **Res Soc Work Pract** 1993;3:40-65.

Ooms T, Beck D. **Family centered social policy: the emerging agenda.** Washington DC: AAMT Research and Education Foundation, 1990. [Document de référence inédit, traduit par Laurent Chabot].

Pecora PJ, Fraser MW, Haapala DA. Client outcomes and issues for program design. In: **Family preservation services: research and evaluation.** Newbury Park: Sage, 1990:3-33.

Rossi PH. Assessing family preservation programs. **Children Youth Serv Rev** 1992;14:77-97.

Rossi PH. Strategies for evaluations. **Children Youth Serv Rev** 1992;14:167-191.

Roy J, Lépine R, Robert L. **Etats et familles: des politiques sociales en mutation.** Québec: Conseil de la famille, 1990.

Schwartz IM, AuClaire P, Harris LJ. Family preservation services as an alternative to out-of-home placement of adolescents: the Hennepin County experience. In: **Family preservation services: research and evaluation.** Newbury Park: Sage, 1991:33-46.

Sesan R, Freeark K, Murphy S. The support network: crisis intervention for extrafamilial child sexual abuse. **Prof Psychol Res Pract** 1986;17:138-146.

Thieman AA, Dall PW. Family preservation services: problems of measurement and assessment of risk. **Fam Relat** 1992;41:186-191.

Wells K, Biegel DE. **Intensive family preservation services: a research agenda for the 1990s - Final report.** Cleveland, Ohio: Intensive family preservation services research Conference, Sept. 25-26, 1989.

Yuan YYT, Rivest M. **Preserving families: evaluation ressources for practitioners and policymakers.** Newbury Park: Sage, 1990.

Yuan YYT, Struckman-Johnson DL. Placement outcomes for neglected children with prior placements in family preservation programs. In: **Family preservation services: research and evaluation.** Newbury Park: Sage, 1991:91-118.

BOISVERT, G., *Éclat #18*, 1990.

PROBLÈMES FAMILIAUX ET PLACEMENT EN BAS ÂGE chez des adolescents suicidaires

Sylvie HAMEL
Michel TOUSIGNANT
Marie-France BASTIEN

Sylvie HAMEL est étudiante au doctorat au Département de psychologie et au Laboratoire de Recherche en Ecologie humaine et Sociale de l'Université du Québec à Montréal.
Michel TOUSIGNANT est professeur et chercheur au Département de psychologie et au LAREHS à la même université.
Marie-France BASTIEN est étudiante au doctorat au Département de psychologie et au LAREHS à la même université.

POSITION DU PROBLÈME

La séparation d'avec la mère avant l'âge de 12 ans pour une période prolongée est sans contredit un facteur de vulnérabilité retrouvé dans certains états psychopathologiques comme la dépression à l'âge adulte. Cette séparation doit cependant être accompagnée d'un manque de soins de la part des tuteurs, pour que la probabilité de dépression soit augmentée(Bifulco et Al., 1986). Peu de recherches portant sur le suicide chez les adolescents et les jeunes adultes ont tenu compte de l'effet de la séparation du foyer familial et du placement. Deux séries de recherches menées récemment par notre équipe auprès de jeunes de 14 à 17 ans et de 18 à 24 ans proposent quelques données utiles pour éclairer cette question et suggérer certaines pistes de réflexion.

Une association entre le placement et le développement de tendances suicidaires n'implique pas nécessairement un lien causal. Lorsque le placement survient au sein d'une famille déclarée à la DPJ pour abus ou négligence, il est la conséquence d'un problème suffisamment important pour provoquer une forte vulnérabilité à développer des problèmes psychologiques. Dans d'autres cas, il peut y avoir un problème au foyer, le placement étant effectué à la demande de l'un ou des deux parents à cause d'une incapacité à assumer les tâches éducatives. En de pareilles circonstances, l'effet négatif peut provenir de la situation antérieure au placement ou de la situation vécue en cours de placement.

Deux enquêtes sur les comportements suicidaires des jeunes ont été menées à Montréal entre 1986 et 1989, à partir d'échantillons composés de 2,327 adolescents de 14 à 17 ans et de 700 jeunes de 18 à 24 ans. Les résultats de la deuxième phase, obtenus sur la base d'une entrevue individuelle, montrent que 8 jeunes sur 121 ayant rapporté des expériences suicidaires ont vécu un placement en dehors de la famille étendue avant l'âge de 12 ans, et mentionnaient l'existence de graves problèmes familiaux. On ne retrouvait par contre aucun placement avant 12 ans accompagné de graves problèmes familiaux dans deux groupes témoins totalisant 174 non suicidaires.

On peut penser aussi que l'enfant confié à des tuteurs éprouvera un sentiment de rejet, avec de multiples variantes selon les cas. Enfin, le placement peut ne pas être directement lié à des problèmes familiaux, mais se produire à la suite d'événements qui rendent nécessaire ou préférable de confier l'enfant à un milieu substitut. C'est le ca s par exemple lors du décès ou d'une maladie grave de l'un des parents, ou lors d'une immigration. Les résultats de cette recherche n'ont pas la prétention de répondre totalement à cette épineuse question de l'apport du placement dans la genèse des tendances suicidaires. Ils permettent néanmoins de confirmer si le placement avant 12 ans peut être ou non considéré comme un marqueur ou un facteur de risque et, si oui, dans quelles circonstances.

Etat de la littérature

Le placement est peu étudié dans l'histoire familiale des jeunes suicidaires. La littérature rapporte pourtant un nombre élevé de problèmes familiaux chez ceux-ci: états psychiatriques, toxicomanie, alcoolisme, abus et négligence (Spirito et Al., 1989). Dans certains cas, le contexte familial exige que le jeune soit retiré de son milieu.

Une enquête commandée par l'Association des Centres d'Accueil du Québec (Arsenault et Al., 1990) aborde spécifiquement cette question. Les responsables de 39 centres d'accueil pour adolescents au Québec ont été interrogés. La période couverte par l'enquête s'étend sur trois années, allant de janvier 1986 à décembre 1989. Les responsables dénombrent 8 suicides réussis et 297 tentatives de suicide commises à l'intérieur de leurs centres. Ils précisent aussi que des conflits familiaux importants ont précédé 273 des tentatives recensées et que dans 234 cas, les jeunes avaient avoué se sentir rejetés de leur milieu familial.

Ces données concernent 34,000 jeunes admis dans ces centres durant la période de l'enquête; elles totalisent 3 millions de jours en présence, pour une durée de séjour de 3 mois en moyenne. En conséquence, ces taux ne peuvent pas être comparés à ceux provenant des populations normales, calculés sur des périodes de vie beaucoup plus longues. Nous pouvons néanmoins considérer que le nombre de tentatives de suicide est élevé, si l'on tient compte des obstacles que les adolescents doivent surmonter avant de commettre l'acte suicidaire: surveillance des éducateurs, contrôle des activités et de l'utilisation d'objets dangereux.

Une enquête sur le suicide chez les adolescents placés en centre d'accueil a également été menée dans la région de Lanaudière entre octobtre 1990 et janvier 1991 (Desrosiers et Al., 1992). Elle s'adressait à 79 adolescents de 13 à 18 ans (58 garçons et 21 filles) provenant d'un seul centre d'accueil. Les résultats des entrevues individuelles révèlent que 22 d'entre eux ont déjà commis une tentative de suicide au cours de leur vie et 5 autres avouent avoir eu des idéations suicidaires sérieuses, lesquelles répondent à des critères sévères relativement à la fréquence, à la durée et à l'intensité.

C'est donc dire que 35% de cet échantillon peut être considéré suicidaire, ce qui est quatre à cinq fois plus élevé que le pourcentage obtenu par notre équipe en 1988 (6,7%), à partir d'un échantillon de 2,327 adolescents de 14 à 17 ans sélectionnés dans six écoles secondaires de la région de Montréal (Tousignant et Al., 1988). Ce taux est aussi sept fois plus élevé que celui relevé dans une enquête menée dans la région de Trois-Rivières auprès de jeunes fréquentant l'école secondaire (Pronovost, 1986). Ces données décrivent la vulnérabilité au suicide chez les adolescents placés en institution.

Les enquêtes qui, à l'inverse, tentent d'évaluer le taux de placement hors foyer chez des populations de jeunes suicidaires ne sont pas plus nombreuses. Nous avons réussi à n'en recenser que deux et elles n'évaluent que la séparation d'avec les parents. La première étude fait l'analyse des dossiers de plus de 1,000 enfants et adolescents admis à un service d'urgence hospitalier dont la moitié consultait à la suite d'une tentative de suicide (Garfinkel et Al., 1982). Cette étude s'est déroulée à Toronto entre 1970 et 1977. Les résultats indiquent que 25% des jeunes patients admis pour tentative étaient séparés de leurs parents, contre seulement 13%, dans le cas des autres patients. Les résultats ne permettent cependant pas de connaître la proportion des cas d'adoption, de placements en famille d'accueil ou dans la famille étendue, des cas de sans abri ou d'adolescents ayant décidé de vivre de façon autonome. On ignore également à quel âge est survenue la séparation.

La seconde enquête comprend 50 adolescents de 13 à 18 ans, en majorité des filles, admis en salle d'urgence hospitalière à la suite d'une consommation abusive de médicaments (Hawton et Al., 1982). Plus de 12% d'entre elles ne vivaient alors avec aucun de leurs parents. Par ailleurs, on peut signaler la présence de biais dans ces échantillons cliniques qui pourraient produire une surreprésentation des jeunes admis pour tentative suicidaire et séparés de leurs parents.

Dans le cadre de ce travail, nous émettons l'hypothèse que, comparativement aux non suicidaires, les suicidaires ont vécu dans une plus grande proportion une expérience de placement prolongé, c'est-à-dire, de plus d'une année. Nous faisons la distinction entre les placements survenant avant et après l'âge de 12 ans et nous tenons compte des conditions familiales particulières que vivent ces jeunes: abus, négligence ou discorde familiale élevée.

Méthodologie

Échantillon

L'originalité de notre approche consiste à comparer des jeunes suicidaires qui proviennent de milieux familiaux problématiques à des non suicidaires ayant rapporté un manque d'attention dans la relation avec un ou leurs deux parents ou avec des adultes ayant assumé la majeure responsabilité de leur éducation. Nous avons investigué deux populations francophones de la région de Montréal, soit 2,327 élèves de 14 à 17 ans et 700 jeunes de 18 à 24 ans qui ont été rejoints par téléphone.

Dans la première population, 78 suicidaires et 72 non suicidaires sont comparés, les deux groupes ayant été victimes de négligence affective par au moins un des adultes ayant été le plus longtemps responsables d'eux au cours de leur vie[1]. La deuxième population comprend trois groupes: 43 suicidaires, 48 non suicidaires ayant rapporté une carence d'attention de la part d'au moins un des adultes responsables, et de 43 non suicidaires non carencés.

Définition

Les sujets classifiés suicidaires devaient répondre aux critères suivants: avoir commis une tentative de suicide au cours de leur vie ou avoir entretenu des pensées suicidaires sérieuses au cours des trois dernières années. Les critères opérationnels d'inclusion stricts permettent de distinguer les sujets sélectionnés de ceux ayant pensé au suicide de façon passagère qui représentent en fait environ 40% de l'échantillon. Ces critères sont décrits ailleurs par Tousignant, Hamel et Bastien(1988). Par ailleurs, la période rapportée des expériences suicidaires permet de les situer chronologiquement par rapport au placement.

Le placement est défini ainsi: toute situation où le jeune est confié à un ou deux tuteurs, soit dans une famille ou un centre d'accueil, soit dans une famille étrangère, pour une durée minimale d'une année. L'initiative du placement peut provenir des parents ou des services sociaux. Nous excluons les familles adoptives parce que les sujets adoptés l'ont tous été durant les premiers mois de leur vie. Les séjours en pensionnat pour des fins académiques ou le placement à l'intérieur de la famille étendue ne sont pas non plus considérés.

Instruments A la phase de l'enquête, nous utilisons une version modifiée, adaptée à une population d'adolescents québécois, de l'échelle sur la qualité des soins du *Parental Bonding Instrument* de Parker(1983) pour évaluer la négligence affective vécue au cours de l'enfance. Les sujets obtenant un score atteignant le 80ième percentile sont alors convoqués à l'entrevue individuelle. A cette étape, le dossier sur la vie familiale est complété à l'aide du *Lack of Care* (BiFulco et Al., 1986), un instrument semi-structuré permettant d'évaluer, sur la base d'exemples concrets, les attitudes et comportements négligents des parents, les excès ou l'absence de contrôle et les discordes familiales.

L'entrevue individuelle donne aussi l'occasion de faire l'étude rétrospective de tous les changements de milieux familiaux survenus depuis la naissance. Nous notons toute modification des personnes en charge du jeune, en tenant compte de la durée de séjour dans chacun des milieux et de l'âge des sujets lors des changements.

Résultats

Les résultats de la partie supérieure du tableau 1 révèlent un taux de placement plus élevé chez la population suicidaire, mais seulement durant la période antérieure à 12 ans. La différence entre suicidaires et non suicidaires victimes de négligence affective parentale mesurée à partir du *Parental Bonding Instrument* est significative au seuil de 0,05 ($X^2=4,195$) en

Tableau 1

Placement, âge lors du placement et problème familial grave: comparaison entre jeunes suicidaires (S) et non suicidaires négligés (NS-N) et non-négligés (NS-NN) avec nombre du sous-groupe entre parenthèses.

Période du placement	Groupe 14-17 ans			Groupe 18-24 ans	
	S(78)	NS-N(72)	S(43)	NS-N(48)	NS-NN(54)
<12 ans	5	1	3	1	2
= ou > 12 ans	2	3	1	0	1
(avec problème familial)					
<12 ans	5	0	3	0	0
= ou > 12 ans	2	2	1	0	0

additionnant les deux groupes d'âge. Lorsque le placement survient après cette période, il n'y a pas de différence entre les groupes.

La partie inférieure du tableau montre que la différence dans le cas de placements avant 12 ans accompagnés de problèmes familiaux est encore plus accentuée. Les problèmes familiaux considérés graves ont été investigués à partir du *Lack of Care*. Chez les non suicidaires, il n'y a en fait aucun placement avant 12 ans qui soit accompagné de problèmes familiaux, alors qu'il y en a 8 chez les suicidaires des deux groupes d'âge. La différence entre les suicidaires et les non suicidaires négligés est, cette fois, significative au seuil de 0,01 (X^2=6,851). Si le placement survient après 12 ans, la distinction entre les groupes disparaît toutefois, et ce, même s'il y a de graves problèmes familiaux. Nous avons vérifié d'autre part que, dans tous les cas, la première tentative ou idéation suicidaire sérieuse était survenue après le placement.

Une analyse individuelle des sujets du groupe des 14-17 ans, soit des cinq suicidaires placés avant l'âge de 12 ans, illustre la nature des problèmes familiaux. Le premier cas, victime de négligence grave de la part de ses parents, fut placé dans quatre familles différentes, soit entre l'âge de deux et quatre ans, et entre 6 et 14 ans. Le dossier révèle que le jeune fut aussi victime d'abus sexuel chez l'un de ses gardiens. Le deuxième cas est celui d'une jeune fille dont le père est décédé très tôt et que la mère a placée chez une gardienne entre l'âge de deux et six ans. Il y avait 14 enfants dans la maison d'accueil dont deux retardés intellectuellement. La mère a dû reprendre son enfant quand celle-ci s'est plainte. La mère avait aussi fait preuve de négligence à l'égard de l'enfant.

Dans le troisième cas, le placement a eu lieu en famille d'accueil entre l'âge de 9 et 13 ans. Le père alcoolique avait été négligent et la mère avait elle-même fréquenté les AA. Le quatrième cas fut d'abord confié au père qui a lui-même placé l'enfant en gardiennage entre l'âge de trois et six ans parce qu'il travaillait à l'extérieur. Cette jeune fille revint ensuite chez sa mère qui était particulièrement négligente et pratiquait la prostitution. Le dernier cas fut placé chez une gardienne entre l'âge de 4 et 13 ans où il a connu un niveau élevé de discorde familiale, sans preuve de négligence grave toutefois. Le seul non suicidaire négligé dans ce même groupe ayant été placé avant 12 ans est le cas d'un Haïtien laissé chez une amie des parents entre l'âge de 5 et 15 ans, pendant que ces derniers immigraient au Canada. L'enfant a vécu beaucoup de discorde dans la famille, mais seulement après son arrivée au Canada.

Dans le groupe des 18 à 24 ans, nous comptons trois placements avant 12 ans chez les suicidaires qui ont vécu des problèmes familiaux importants. Le premier adolescent a connu 15 familles d'accueil entre l'âge de 2 et 17 ans, et a été victime d'abus sexuel et d'abus physique dans la troisième famille. La première tentative de suicide avec médicaments, vers l'âge de 7-8 ans, était un moyen de pression pour sortir de cette famille. Le deuxième sujet, placé à 11 ans, a connu six milieux d'accueil différents avant d'atteindre l'âge de 16 ans. La mère avait eu une conduite incestueuse avec lui et avait des relations sexuelles avec d'autres hommes en sa présence. Le troisième sujet fut placé chez des amis des grands-parents durant les deux premières années de sa vie, à la suite de la dépression de la mère. Il avait été victime de négligence grave de la part des deux parents, tous deux alcooliques, et d'abus physique de la part du père.

Un seul jeune non suicidaire négligé dans ce groupe d'âge fut placé avant l'âge de 12 ans, et son histoire révèle que le garçon a été confié à deux gardiennes différentes entre l'âge de 4 mois et de 10 ans. Le régime de favoritisme qui existait chez l'une d'elles jouait à son détriment mais il n'a pas connu de véritable négligence. Enfin, les histoires de cas des deux non suicidaires non négligés nous apprennent que leur placement en bas âge est relié au décès de l'un des parents, survenu à l'âge de cinq ans, chez le premier sujet, et à six ans chez le deuxième.

Discussion

Les résultats font ressortir un nombre plus élevé de suicidaires ayant vécu un placement hors de leur foyer et à l'extérieur de la famille étendue. Le placement est accompagné de problèmes familiaux importants avant, pendant ou même après qu'il ne survienne. Cette conclusion ne vaut cependant que pour les placements avant l'âge de 12 ans. Dans le cas présent, le groupe de comparaison principal est constitué de sujets qui déclarent avoir manqué d'attention de la part d'au moins un des deux parents ou tuteurs au cours de leur enfance, ce qui diminue au départ les probabilités de trouver une différence significative.

Le placement survenu à la suite ou accompagné de difficultés intra-familiales graves avant l'âge de 12 ans ne peut évidemment pas expliquer l'accroissement important des comportements suicidaires chez les jeunes, tel que nous en avons connu un au Québec au cours des derniers 30 ans. Seulement 8 des 121 jeunes suicidaires ont en effet vécu une expérience de placement. Ceci représente tout de même près de 7% de l'échantillon, en comparaison de 0% pour les deux autres groupes témoins. On doit aussi souligner les écarts existant dans les deux groupes d'âge. Ces chiffres suggèrent que le placement accompagné de problèmes familiaux est un indice très important de potentiel suicidaire. Des efforts sérieux de prévention doivent viser ce groupe à haut risque.

Même si les deux groupes de suicidaires ne représentent pas un contingent très élevé, cette étude a l'avantage d'avoir été réalisée dans la communauté, évitant ainsi les biais associés au recours à l'urgence hospitalière ou au traitement psychiatrique. Nous avons atteint ces groupes à l'aide d'un questionnaire distribué dans les salles de classe ou par entrevue téléphonique et nous avons ainsi obtenu plus de 3,000 répondants, ce qui constitue en soi une entreprise très coûteuse.

Ces résultats ne peuvent pas confirmer que le placement soit la cause des comportements suicidaires qui surviennent par la suite. Ils ne représentent qu'un des éléments d'une chaîne complexe. Même en évaluant de façon assez sommaire avec le sujet la qualité des soins reçus en placement, nous pouvons documenter deux cas où il y a eu abus sexuel et un autre cas où l'enfant a été repris par sa mère parce qu'il y avait 14 pensionnaires dans un foyer familial et que l'enfant s'en était plainte. Il y a là certainement une situation préoccupante avec laquelle les services sociaux sont sans doute familiers. Mais les situations vécues avant le placement étaient également très lourdes et pouvaient représenter en elles-mêmes un grave handicap pour le développement de l'enfant.

On peut se demander ici pourquoi un premier placement après 12 ans, même arrivant à la suite d'une carence de soins, ne semble pas augmenter les tendances suicidaires. Chez les trois suicidaires de ce groupe, le placement est survenu après les premières idéations ou tentatives de suicide et on ne peut donc pas le mettre en cause. Chez les non suicidaires, on retrouve deux cas de placement à cause de problèmes familiaux, l'un à 13 ans et l'autre à 15 ans. Il est possible que l'adolescent ait lui-même provoqué ou demandé le placement et qu'il ait donc été mieux préparé à l'accepter. Avant 12 ans, l'enfant n'a peut-être pas développé la même carapace psychologique. Il est moins possible aussi que le placement soit alors présenté comme une punition. L'enfant peut également vivre le placement comme un rejet, ne pas comprendre la faute qu'il avait commise, ou réaliser avoir été un enfant non planifié et non désiré. La littérature sur le placement couverte par ce numéro décrira plus en profondeur les différents processus observés.

Conclusion

Est-il préférable d'abolir le placement ou de n'y recourir qu'en dernière instance, après avoir tenté de donner tout le soutien possible aux parents? Le placement à long terme avant l'âge de 12 ans demeurera encore une nécessité ou un pis-aller dans la société actuelle. Les enfants qui en font l'expérience sont à très haut risque sur le plan de la santé mentale. Ils doivent être suivis individuellement et être en mesure de rapporter confidentiellement tout mauvais traitement auquel ils seraient exposés. Un investissement social à cette étape pourrait faire économiser des sommes importantes pour les années à venir. Même au niveau de 7%, le placement est un des marqueurs importants de la population suicidaire. Afin d'améliorer les connaissances, il serait souhaitable que les enquêtes sur les jeunes introduisent cette variable dans leur questionnaire. Nous serions ainsi plus à même d'évaluer sa contribution dans le cas d'autres pathologies sociales, telles les toxicomanies, la délinquance, la prostitution ou les grossesses à l'adolescence.❖

Two surveys on youth suicidal behaviour were completed in Montreal between 1986 and 1989. The samples included 2,327 adolescents and 700 young adults (18-24 years old). Results from face-to-face interviews in a second phase showed that eight out of 121 respondents with an history of suicidal experience reported to have been in foster care outside of the extended family and to have suffered from serious family problems. None of the two control groups of 174 non suicidals reported to have been in foster care following serious family problems.

Note

1. Devant la complexité des situations familiales des jeunes nous avons choisi d'identifier d'abord les adultes, masculin et féminin, ayant été le plus longtemps responsables d'eux au cours de leur vie et d'investiguer ensuite la carence de soins que les jeunes ont vécue avec ces derniers. Ces adultes se sont avérés être majoritairement des parents biologiques, mais des parents adoptifs et substituts ainsi que des conjoints des parents naturels ont aussi été identifiés.

Références

Arsenault PA, Fortier P, Normandin L, Perreault C, Portelance P. **Le phénomène du suicide chez les adolescents en centre de réadaptation - rapport final**. Sous-comité des affaires cliniques et professionnelles, Association des centres d'accueil du Québec, 1990. 19p.

Bifulco AT, Brown GW, Harris TO. Childhood loss of parent, lack of adequate parental care and adult depression: a replication. **J Affect Disord** 1986;12:115-128.

Desrosiers M, Coderre R, Bastien MF, Hamel S. **Les tendances suicidaires chez une population adolescente à risque: étude comparative du réseau social, du soutien social et des stratégies de recherche d'aide chez des adolescents suicidaires et non-suicidaires.** [Rapport de recherche] Département de santé communautaire de Lanaudière, 1992. 171p.

Garfinkel BD, Froese A, Hood J. Suicide attempts in children and adolescents. **Am J Psychiatry** 1982;138:35-40.

Hawton K, Cole D, O'Grady J, Osborn M. Motivational aspects of deliberate self-poisoning in adolescents. **Br J Psychiatry** 1982;141:286-291.

Parker G. Parental «affectionless control» as an antecedent to adult depression. **Arch Gen Psychiatry** 1983;40:956-960.

Pronovost **Dépistage des adolescents à tendances suicidaires en milieu scolaire secondaire.** [Rapport de recherche] Trois-Rivières: Département de psychologie, Université du Québec àTrois-Rivières, 1986.

Spirito A, Brown L, Overholser J, Fritz G. Attempted suicide in adolescence: a review and critique of the literature. **Clin Psychol Rev** 1989;9:335-363.

Tousignant M, Hamel S, Bastien MF. Structure familiale, relations parents-enfants et conduites suicidaires à l'école secondaire. **Santé mentale Qué** 1988;13:79-93.

L'HOMME QUI A RETROUVÉ SES RÊVES

Céline CHAMPAGNE

L' auteure est travailleuse sociale au Département de psychiatrie de l'hôpital Sainte-Justine.

L'entrevue à domicile a été faite avec la collaboration de Lucie Rondeau, conseillère en placement familial au Centre jeunesse Dominique-Savio-Mainbourg.

Au départ, une tâche: une entrevue à réaliser avec un père en détresse qui a dû placer sa petite fille. Plutôt ordinaire pour une travailleuse sociale! Et puis la magie s'opère et je tombe sous le charme de cette petite rouquine à l'oeil vif, de son père issu, ou plutôt rescapé, d'une famille où violence, inceste, injustices se conjuguent au quotidien et qui, pourtant, est capable de saisir les besoins de son enfant. Comment cela peut-il être possible? Quelle est cette histoire différente où les mêmes causes ne produisent pas nécessairement les mêmes effets?

«La nuit que je suis parti dans le parc avec ma petite et une couverture, je savais qu'il se passerait quelque chose; j'avais tout vendu mes affaires et j'avais laissé mon logement. Ça ne pouvait plus continuer ainsi, mais je ne savais pas comment m'en sortir; j'étais découragé et c'était la seule solution que je voyais comme possible. Et puis là, après quelques heures, les policiers sont venus nous réveiller tous les deux et nous ont amenés au poste. Ils ont été «super corrects» avec moi; un des deux (c'est un père de famille lui aussi) m'a dit: «Pierre, vous avez besoin d'aide; on va s'arranger pour que vous en receviez». C'est de même que, cette nuit-là, la petite est allée au Mainbourg; c'est moi qui l'ai portée dans mes bras jusqu'à ce que la dame la prenne. Au fond, c'est ça que je voulais, que la petite soit en sécurité, parce que moi, j'étais plus en mesure de lui en donner. Mais, en même temps, j'étais tout mélangé; une fois que Catherine a été placée, je ne savais plus si je voulais vivre ou mourir. Tous les jours, je suis allé la voir; il fallait que je sois là pour l'accompagner dans la détresse qu'elle vivait; il fallait qu'elle sache que papa était là, que papa l'aimait».

Lorsque cet événement se produit, Catherine a deux ans. Un mois et demi auparavant, la famille était réunie: Pierre et Johanne habitaient ensemble avec Catherine et François (huit mois). Une vie de famille ordinaire avec ses hauts et ses bas mais, après coup, Pierre refait le casse-tête pour se rendre compte que tout ne tournait pas rond pour eux: Johanne avait déjà, dans le passé, quitté le domicile avec les enfants, suite à une querelle conjugale. Mais, cette fois-ci, il n'a pas compris pourquoi elle est partie.

> *«Ça faisait à peu près une heure que j'étais dans ma chambre; j'en suis sorti pour réaliser que la petite était toute seule sur le balcon, sans aucune surveillance; il aurait pu lui arriver n'importe quoi; Johanne était partie sans me le dire. J'ai attendu un certain temps en me disant qu'elle reviendrait peut-être puis, après un mois, j'ai tout vendu. J'étais désemparé. C'était la fin de mon rêve parce que, moi, je rêvais depuis tout le temps d'une famille unie; je cherchais de l'écoute, du réconfort, mais je n'en trouvais pas».*

Très tôt, les éducatrices du centre d'accueil se rendent compte que Catherine est différente des autres enfants: elle est très éveillée, ne présente pas de retard de développement ni de problèmes de comportement. Par contre, elle est très souffrante et ne doit donc pas séjourner au centre trop longtemps puisque son besoin premier est de se retrouver dans une famille d'accueil. Mais cette autre étape n'est pas sans soulever d'intenses émotions chez son père.

> *«Quand elle est partie au foyer, chez Louise, je me suis demandé si on ne me cachait pas quelque chose; ça me faisait très peur. Peut-être que, vu que c'était un vrai milieu familial, ils voulaient qu'elle reste là longtemps, parce que moi je n'avais même plus de logement; et puis qu'en plus j'étais très fragile côté émotionnel. Y a toujours des petites choses cachées (comme des dettes) que tu veux pas qui ressortent, pour éviter que ça se retourne contre toi, que ça te nuise. J'ai eu très peur. Je venais juste de perdre ma femme et mon fils et puis là, je plaçais ma fille. Une chance que Lucie (Rondeau) m'a bien expliqué comment cela allait se passer. Et puis que Louise était correcte avec moi. Je lui ai vite dit comment était ma fille, comment il fallait s'y prendre avec elle, comment l'habiller. Parce que, depuis le début, c'était moi qui m'occupait des enfants, qui me levait la nuit. Ma fille était aux couches de coton parce qu'elle était allergique au papier; par contre, mon garçon n'a pas eu de problème avec les couches en papier».*

On peut se demander comment un père a appris à s'occuper de jeunes enfants, quels modèles de «maternage» il a eus pour lui permettre de jouer adéquatement son rôle. Pourtant, quand on regarde la famille d'origine de Pierre, peu d'éléments nous aident à comprendre: deuxième d'une famille de sept enfants, il est vite au milieu de chicanes, victime de violence, témoin d'inceste; sa mère décède d'un cancer alors qu'il a huit ans et la belle-mère qui la remplace rapidement se montre très dure avec tous les enfants. Pierre se fera le porte-parole et le défenseur de ses frères et soeurs et se retrouvera à 15 ans au Mont Saint-Antoine pour «refus d'autorité». Lors de ses congés de fins de semaine, il refusera d'aller chez lui, choisissant plutôt une famille de voisins «qui était très unie»; pendant plusieurs années, même après son placement, il continuera de se référer à ces gens comme port d'attache émotionnel. Lorsqu'on lui demande comment il fait pour «deviner» les besoins de ses enfants, Pierre nous répondra que le côté maternel est «en dedans de lui».

> *«Je me rappelle comme si c'était hier de l'arrivée de mon petit frère à la maison: j'ai quatre ans et je me lève sur le bout des pieds pour le voir dans son carrosse, pour voir de quoi il a l'air. Et là, je me mets à pleurer de joie devant mon nouveau petit frère. Je pense que j'ai toujours aimé les enfants. Mais je ne pense pas que je pourrais faire ce que je fais avec les enfants d'un autre. Actuellement, depuis que Catherine est revenue à plein temps avec moi, je ne me sens pas bien si elle n'est pas là. Et j'ai très hâte que François soit avec moi aussi parce que c'est un besoin pour moi. C'est pas que je veux l'enlever à sa mère, c'est que je suis très inquiet pour lui».*

Pendant toute la durée du placement, qui s'est échelonné sur un an, Pierre va chercher sa fille trois fois par semaine. Comme il n'a pas de logement, il prend des arrangements avec une maison pour adultes en difficultés afin de pouvoir y passer quelques heures avec sa fille. De retour à la famille d'accueil, il fait part à Louise de l'expérience qui vient de se vivre. Il rencontre également Lucie Rondeau de «façon régulière» afin de voir clair dans ses émotions et de préparer lentement le retour de Catherine avec lui.

Janvier 1992 constitue un moment-clé dans ce cheminement. Catherine passe les deux semaines du congé de Noël avec son père et tout va bien. Pierre sait que le retour définitif de sa fille devient imminent. Mais, lorsqu'il la raccompagne chez Louise, elle ne pleure pas quand il part; il vit cela comme une perte immense, il se retrouve seul dans son logement et fait une tentative de suicide. Néanmoins, peu de temps après son hospitalisation, le travail de réinsertion reprend ainsi que les visites de Catherine chez son père.

> *«Ça doit être rare qu'un parent reprenne son enfant après une tentative de suicide... et je l'ai reprise en avril; je pense que j'ai été privilégié de pouvoir la reprendre aussi vite; j'ai été content, très content que les gens me fassent confiance. Je ne pense pas parler pour les autres qui vivent un placement; je sais qu'il y en a qui se révoltent contre le système; moi, je n'ai pas eu à le faire,*

mais j'ai toujours donné mon point de vue; quand j'étais en désaccord, ils le savaient».

Actuellement, il y a plus d'un an que Catherine est avec son père à temps plein. Il poursuit ses démarches auprès de la Chambre de la famille pour que François y vienne à son tour. Et sa vie sociale dans tout cela? Et ses relations avec d'autres adultes?

«Avoir les enfants ce n'est pas un fardeau pour moi. Les clubs, j'y ai été en masse, ça ne me dit plus rien; je suis rendu à une autre étape. J'aime beaucoup sortir avec la petite, faire des promenades, des pique-niques».

Qu'est-ce qui le caractérise le plus actuellement?

«Je suis un gars qui a retrouvé ses rêves; je ne suis pas un lâcheux. Au début, mon rêve c'était une famille avec une femme et des enfants. Aujourd'hui, c'est moi avec mes enfants; plus tard, on verra. Il y a une femme qui a un oeil sur moi et qui s'intéresse à mes enfants; je sais qu'elle ferait une bonne mère, mais je ne suis pas prêt. J'ai cessé de boire sans aucune aide extérieure. J'ai recommencé ma recherche personnelle sur le sens de la vie par des lectures; je me sens beaucoup mieux.

Aujourd'hui, je me calcule gagnant à peu près sur tout par rapport à ce que j'ai vécu; je n'aurais pas dit cela l'année dernière. Côté expérience de vie, je pense que je vais faire un vieux qui ne s'inquiètera pas avec grand chose. Je vais savoir qu'il y a bien des difficultés à travers lesquelles je suis capable de passer; c'est dur, mais si tu te relèves, t'es gagnant». ❖

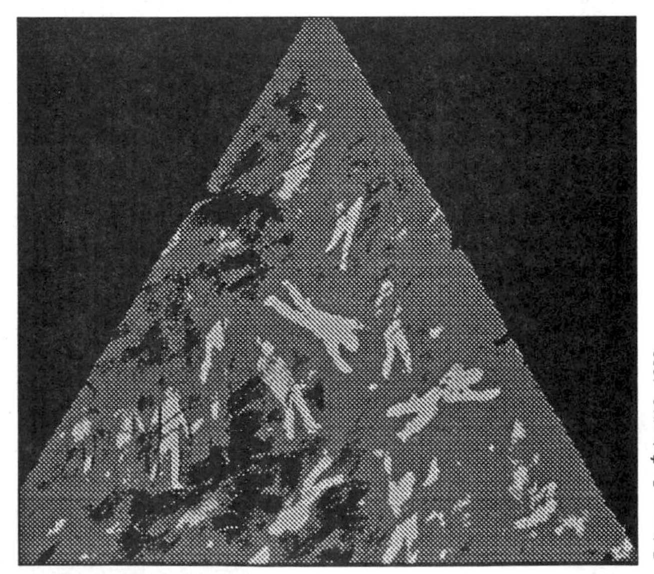

Boisvert, G., Éclat #12, 1990

LE RÔLE DES PROFESSIONNELS DE LA SANTÉ MENTALE

auprès des enfants confiés aux services sociaux

Paul STEINHAUER

Traduit par
Denise Marchand

Psychiatre à l'Hôpital Sick Children et professeur à l'Université de Toronto, le Dr Steinhauer est consultant depuis plus de 30 ans auprès de plusieurs services d'aide à l'enfance en Ontario et il préside deux commissions provinciales visant à l'amélioration de la santé mentale des enfants. Il est l'auteur d'un livre important sur le placement: «*The least detrimental alternative: A systematic guide to case planning and decision making for children in care*», paru en 1991 aux Presses de l'Université de Toronto.

Il est apparu au cours des récentes années un véritable consensus autour du fait que les enfants placés en familles d'accueil étaient presque toujours atteints de troubles sérieux du développement (Berridge et Cleaver, 1987; Cooper, 1978; Darnell, 1987; Hepworth, 1990; Hochstadt et al. 1987). Ceci n'est pas surprenant si l'on considère qu'avant même d'être placés, ces enfants ont invariablement été exposés à de multiples facteurs de risque qui menaçaient déjà leur croissance et leur capacité d'adaptation.

Facteurs de risque

Mentionnons, parmi ces risques, les suivants:

- Une vulnérabilité biologique accrue

Les mères de ces enfants sont davantage portées à fumer et à consommer de l'alcool et diverses substances toxiques durant leur grossesse, ces habitudes pouvant avoir de sérieux effets sur la santé de l'enfant à naître. Une enquête menée récemment par 143 intervenants de la Société d'aide à l'enfance du Toronto métropolitain a montré que, dans 26.1% des cas suivis (888 familles), au moins un des deux parents faisait un

Après avoir fait une revue des conditions de vie difficiles et des problèmes émotionnels graves souvent retrouvés chez les enfants confiés aux services de protection, l'auteur discute de la demande de psychothérapie faite par les intervenants sociaux dans le cas d'enfants placés et des attentes souvent irréalistes entretenues par rapport à ce type de traitement. Il énonce six critères qui devraient être pris en considération au moment d'évaluer si l'enfant qui vit en famille d'accueil est prêt à entreprendre une psychothérapie.

L'auteur discute ensuite des mesures de placement à long terme appliquées dans le cas d'enfants qui ont de sérieux troubles des conduites; il apporte des distinctions sur les programmes offerts par les centres institutionnels et présente un modèle écologique de prise en charge de ces jeunes. Il propose enfin un modèle de consultation en santé mentale, tel que pourraient en offrir les psychiatres seniors à leurs collègues des services sociaux, ce service indirect s'avérant, selon l'auteur, plus utile que l'intervention directe auprès de cette clientèle d'enfants.

usage excessif de drogues, l'incidence de prise de cocaïne et de crack étant évaluée à 12.1%. Dans 37 des 99 familles où il y avait consommation de drogues, il était connu que la mère avait pris du crack durant sa grossesse, cependant que pour 28 autres, on n'avait pu clairement établir s'il y avait eu ou non prise de drogues par la mère au cours de sa grossesse. Cette enquête a aussi montré que 54% des bébés avaient souffert à la naissance de problèmes associés à la prise de crack (Leslie, 1991).

On sait d'après des recherches que les dommages causés à l'enfant par la consommation d'alcool et de cocaïne chez la femme enceinte sont plus fréquemment d'ordre neurologique, ces atteintes augmentant à leur tour les risques d'apparition de problèmes émotionnels ou de comportement chez ces enfants (Murphy et al, 1991; Schneider et al, 1991; Thompson, 1990; Streissguth et al, 1991). En outre, on peut s'attendre à retrouver une plus grande vulnérabilité génétique dans la population d'enfants recueillis par les services sociaux: ces jeunes sont davantage prédisposés aux maladies affectives, à l'alcoolisme et à certains troubles de personnalité, surtout de type anti-social (Famularo et al, 1986).

- Une vulnérabilité accrue au plan social

Les familles immigrantes sont plus fortement représentées qu'aucun autre groupe dans la population d'enfants suivis par un service d'aide torontois. De fait, 41% des familles prises en charge par un important service de la ville parlaient une langue autre que l'anglais. Le même service rapporte que 83% des enfants inscrits vivaient sous le seuil de la pauvreté, alors qu'un autre 11% appartenaient à des familles économiquement vulnérables. Ajoutons que dans 46% des cas, les parents de ces jeunes recevaient une aide sociale.

Au plan de la structure familiale, alors qu'on retrouve en Ontario 12% de familles monoparentales, 57% des familles suivies par ce service d'aide avaient à leur tête un parent seul, la mère dans la plupart des cas (CASMT, 1991). Il ressort aussi une forte incidence de partenaires successifs, et plusieurs des hommes sont sans emploi, ces deux facteurs étant d'ailleurs associés aux cas d'abus physique et sexuel retrouvés dans ces milieux (Giles-Sims et Finkelhor, 1984; Miller, Williams, English et Olmstead, 1987).

- **Un risque accru d'échec de l'attachement**

Par suite de conflits non résolus remontant aux mauvais traitements ou à la négligence qu'elles ont elles-mêmes connus dans leur famille d'origine, la majorité des mères d'enfants placés s'avèrent incapables de s'ajuster aux besoins de leur enfant en lui procurant un lien sensible et sûr, ce qui est un pré-requis pour sceller l'attachement. Aussi, plusieurs de ces enfants, et bien avant d'être placés, souffrent de sérieux problèmes d'attachement qui les prédisposent à des troubles permanents d'ordre affectif ou du comportement, et qui compromettent d'autant leur capacité de créer des liens et de s'intégrer durant leur placement (Main et Solomon, 1990; Egeland et Erickson, 1990).

- **Une exposition permanente à la violence familiale**

Ces enfants sont continuellement exposés à des conflits ou à des altercations souvent violentes entre leurs parents, ce qui augmente d'autant les risques qu'ils soient eux-mêmes victimes d'agression. Par ailleurs, ils éprouvent eux aussi du mal à gérer leur agressivité, soit parce qu'ils ont un contrôle insuffisant de leur impulsivité, ou en raison de l'éducation inconsistante ou même inadéquate reçue de leurs parents (Jaffe, Hurley et Wolfe, 1990).

- **L'effet de la séparation d'avec au moins une - et souvent plus d'une - des figures d'attachement (Steinhauer, 1991A)**

Placement et demande de psychothérapie

Cette combinaison de risques tant biologiques, familiaux, sociaux que psychologiques retrouvés dans la vie de la plupart des enfants placés les rend vulnérables dans une proportion extrêmement élevée à divers désordres de conduite ou à des troubles affectifs. La vulnérabilité de ces jeunes est cependant encore aggravée par une exposition permanente à des niveaux anormalement élevés de stress qui peut tenir, par exemple, à des traumatismes ou des expériences de rejet vécus par l'enfant, ou encore à son incapacité de faire le deuil de pertes ou de séparations passées. Le stress pourra aussi être dû à l'incertitude et au sentiment qu'éprouve l'enfant d'être oublié pendant qu'autour de lui, les adultes se disputent sa garde. Toutes ces expériences contribuent à accentuer le caractère imprévisible de sa vie et l'absence de contrôle que l'enfant détient sur elle.

Enfin, si l'on considère la tendance à la répétition qui est très présente chez ces jeunes (le fait d'agir de telle manière qu'ils invitent les autres à les traiter comme ils l'ont été dans le passé), il n'est pas surprenant que les perturbations importantes au plan affectif aussi bien que des conduites remarquées chez ces enfants amènent les intervenants sociaux à les référer à des professionnels de la santé mentale pour qu'ils soient traités. Néanmoins, les demandes de psychothérapie (incluant les thérapies par le jeu ou par l'art) qui impliquent de tels enfants sont souvent irréalisables, et elles devraient être considérées avec une extrême prudence pour plusieurs raisons.

Dans leur désir d'aider les enfants, plusieurs intervenants des services sociaux entretiennent en effet des attentes bien peu réalistes quant à ce que la psychothérapie peut accomplir. Si un enfant est en détresse à cause de l'incertitude qu'il vit, la réponse à donner ici relève moins d'une psychothérapie que de la nécessité de le sortir du vide en instaurant un cadre et des mesures propres à lui apporter la sécurité dont il a besoin.

Bien des intervenants sociaux, animés du désir de réparer les effets d'années d'abus ou de négligence, croient avoir trouvé dans la psychothérapie le moyen d'y arriver. Cependant, leurs fantaisies de sauvetage qui s'appuient sur des attentes exagérées risquent de conduire à une épreuve non seulement inutile, mais qui peut s'avérer désastreuse à bien des égards. Non seulement le traitement peut-il ne pas aider, mais pire, il peut servir à détourner l'attention des questions réelles qui se posent, telles que sortir l'enfant du vide qu'il éprouve, ou encore, s'assurer que le milieu d'accueil comprend bien ses besoins et y répond adéquatement. Qui plus est, en entreprenant une psychothérapie qui se termine par un échec (d'autant plus prévisible, en raison des résistances très fortes qui font partie du système défensif mis en place pour s'adapter), il faut voir que cet enfant aura été placé dans la situation de faire confiance à quelqu'un pour se retrouver abandonné une fois de plus.

Par ailleurs, peu de thérapeutes sont consentants, et non seulement à s'impliquer auprès de ces enfants mais à le rester, en face de résistances tenaces qui empêchent la formation d'une alliance thérapeutique, un tel rapport pouvant d'ailleurs durer de longues années. L'auteur a décrit de façon détaillée le traitement d'un cas avec lequel il a été aux prises pendant 17 ans (Steinhauer, 1991B), et il a supervisé d'autres thérapeutes qui étaient désireux de s'ouvrir à ce sujet tout en restant engagés vis-à-vis d'enfants dont la thérapie s'était pourtant avérée beaucoup plus frustrante que gratifiante pendant des années.

Critères pour entreprendre une psychothérapie

A cause des exigences que ce type de traitement comporte pour l'enfant aussi bien que pour le thérapeute, beaucoup de tentatives de psychothérapie échouent plutôt qu'elles ne réussissent. En pensant à de nombreuses faillites de traitement qui auraient pu être prévues et évitées, l'auteur a développé une série de critères qui permettent d'évaluer si l'enfant placé est prêt à s'engager dans une psychothérapie individuelle (Steinhauer, 1991B). Il suggère donc que les enfants en placement ne devraient être pris en psychothérapie que s'ils rencontrent les conditions suivantes:

a) L'enfant a montré qu'il était capable d'engager au moins une bonne relation et de la maintenir même lorsque survient une frustration ou un conflit. Sans cette capacité, il est grandement improbable qu'il puisse former l'alliance thérapeutique qui est un pré-requis à une psychothérapie réussie, et/ou de la maintenir, une fois qu'il sera clair que la thérapie ne pourra lui apporter un soulagement rapide de ses conflits.

b) L'enfant a montré, au moins à une occasion, sa capacité d'intérioriser - plutôt que d'agir immédiatement - un conflit ou une tension. Si tel n'est pas le cas, les tensions générées par la thérapie seront vraisemblablement agies dans d'autres lieux de sa vie, et par conséquent, elles nuiront à son placement - dont la continuité et la réussite offrent plus à l'enfant que la thérapie - ou encore, ces tensions se refléteront dans son comportement à l'école.

c) L'enfant est capable d'apporter et d'élaborer dans la thérapie - verbalement ou par le jeu - quelques-uns des aspects majeurs de ses conflits. Il faut voir que ceci est impossible pour la plupart de ces enfants qui sont si effrayés par l'intensité de leurs propres émotions, ou encore, des réactions qu'ils pourraient provoquer chez les autres s'ils les exprimaient directement, de sorte que la répression et le retrait défensif qu'ils adoptent représentent pour eux des mécanismes essentiels à leur sécurité.

d) L'enfant n'attend pas de la psychothérapie qu'elle résolve les questions insolubles de sa réalité. Si telle est son attente, il finira inévitablement par se sentir désillusionné, et une fois de plus, abandonné. A moins qu'il ne puisse admettre, et quels que soient ses problèmes d'ordre réel, qu'il y contribue lui-même, ou encore qu'il doit trouver des moyens différents de faire face à une réalité qui est hors de son contrôle, sa thérapie est vouée à l'échec.

e) L'enfant vit dans un foyer d'accueil qui appuie sa démarche en thérapie. Sauf pour de rares exceptions, la psychothérapie d'un enfant placé impliquera de traiter celui-ci dans le contexte de la famille d'accueil. Ceci peut vouloir dire des sessions conjointes avec la famille sur une base ponctuelle ou même permanente, sinon des rencontres occasionnelles du thérapeute avec les parents d'accueil et des contacts téléphoniques entre eux, mais surtout et au minimum, une attention constante et empathique de la part de la famille d'accueil tout au long de la thérapie de l'enfant.

Toutefois, s'il existe des tensions ou des conflits entre parents et thérapeute, si le thérapeute cherche à *«délivrer»* l'enfant de ses parents d'accueil pour lesquels il n'éprouve ni sympathie ni respect, ou s'il permet à l'enfant de se dissocier de la volonté de ses parents, la thérapie ne servira, en minant le placement, qu'à mettre en danger sa continuité. D'un autre côté, si les parents d'accueil sont fortement opposés à la thérapie ou s'ils refusent de collaborer avec le thérapeute, un engagement en thérapie est généralement contre-indiqué. Au contraire, plus la communication est ouverte entre les parents d'accueil et le thérapeute, plus la thérapie apparaît possible. Par ailleurs, si dans le cours du traitement, celui-ci - ou la perception qu'en ont les parents d'accueil - devenait une menace pour le placement de l'enfant, c'est la continuité du placement, aussi longtemps qu'il est adéquat, qui doit avoir préséance, dans la mesure où il représente un apport premier et essentiel à la sécurité et au développement de l'enfant.

f) L'équipe d'intervention sociale doit être très engagée par rapport au traitement, avant qu'un enfant placé ne soit pris en thérapie. Ceci veut dire qu'elle devrait être prête à accueillir le matériel apporté par le thérapeute et à lui permettre d'intervenir dans toute décision importante prise au sujet de l'enfant. Cela signifie aussi que si l'enfant, dans le cours de la thérapie, manquait des séances - comme le font fréquemment ces jeunes - une entente quant à la manière de procéder devrait avoir été prise entre le service social et le thérapeute, et ceci, avant le début du traitement, de façon à éviter que l'enfant ne soit abruptement retiré de la thérapie, soit parce que le service ne peut plus se permettre de payer des séances manquées, soit parce qu'il veut ainsi exercer une pression à l'égard d'un contrat dont il juge les conditions irréalistes. Cela signifie enfin, advenant l'arrivée dans le cas d'un nouvel intervenant ou d'un superviseur qui voit peu d'utilité à la thérapie, que l'engagement contracté ne puisse être révoqué unilatéralement sans qu'au moins une consultation ait lieu auprès d'un professionnel neutre et expérimenté.

A moins que ces conditions ne soient rencontrées, le fait d'impliquer en psychothérapie un enfant placé lui fait courir le risque de souffrir un nouvel abandon, et dans ce cas, par un adulte qui se réclamait de pouvoir l'aider. Certains pourront invoquer ici le fait qu'une thérapie de soutien est une entreprise totalement différente. Mais si l'on considère que le diagnostic d'au moins un trouble psychiatrique a été posé pour plus de 18% d'enfants et d'adolescents, et qu'il n'y a de thérapeutes disponibles pour répondre qu'à un sur six d'entre eux (Offord et al, 1989), nous voudrions suggérer que cet apport d'une simple relation d'aide à des enfants qui ne réussissent pas à rencontrer les indications mentionnées plus haut représente un gaspillage inapproprié de ressources par ailleurs déjà insuffisantes. En fait, ce dont les enfants placés ont le plus besoin n'est pas de *psychothérapie individuelle mais d'une expérience émotionnelle correctrice*, et celle-ci repose sur une planification rigoureuse faite par l'équipe d'intervention, de manière à déterminer si le choix du placement avec les parents naturels, adoptifs ou d'accueil, est celui qui convient le mieux aux besoins de l'enfant, ainsi que sur un suivi très étroit du placement pour en assurer la continuité.

Placement à long terme en institution

Que penser, par ailleurs, des traitements à long terme en internat dans le cas d'enfants qui ont déjà une longue histoire de troubles de conduites ou d'opposition qui les rendent extrêmement difficiles à supporter? L'auteur a discuté ailleurs en détail des principales questions soulevées par ce type d'enfants dont les comportements deviennent si incontrôlables qu'ils sont envoyés en institution pour des séjours prolongés, le motif invoqué étant qu'ils ont besoin de traitement (Steinhauer, 1991B). De fait, la majorité de ces jeunes sont tout-puissants, manipulateurs et sans affiliation avec leur entourage, par suite de leurs problèmes d'attachement.

Il est par ailleurs connu que beaucoup de programmes communément appelés «traitement à long terme» (qui mériteraient, lorsque ne dépassant pas deux ans, l'appellation plus juste de «soins intermédiaires») s'avèrent limités du point de vue de leur efficacité, sans parler de leur coût considérable en ces temps de ressources réduites. Il faut voir aussi que très peu de centres élaborent leurs programmes de traitement à partir d'une compréhension adéquate du rôle de l'attachement aussi bien que de l'échec à former des liens, et du phénomène persistant de non-affiliation qui s'ensuit chez de tels enfants ou adolescents.

Si vous abordez la question avec certains directeurs de centres chez qui on trouve cette compréhension, ils insisteront sur la nécessité d'être prêt à travailler avec ces enfants pendant des périodes variant de trois à cinq ans pour arriver à une réussite du traitement. Ils feront aussi remarquer que ce n'est pratiquement jamais avant la fin de la deuxième année de séjour que le jeune commence à établir, pour la première fois, une relation privilégiée à caractère stable (i.e. un attachement) avec un membre choisi de l'équipe. Les responsables de ces institutions croient que le traitement ne peut effectivement commencer que lorsque ceci survient; en fait, tout ce qui peut être fait jusqu'à ce que la relation s'enclenche ne consistera qu'à contenir l'enfant, en l'aidant à contrôler ses comportements et en lui procurant un substitut parental suffisamment bon dont ils espèrent, qu'avec le temps, il rendra le lien possible. Sans cette affiliation, il ne peut y avoir d'alliance thérapeutique ni de changement réellement intériorisé qui persiste après que l'enfant aura quitté l'institution.

Pourtant, dans la plupart de nos centres, c'est précisément au moment où l'enfant est sur le point de faire assez confiance pour s'engager dans une première affiliation qu'il est renvoyé, et ceci, du fait que peu d'institutions sont préparées à poursuivre le traitement au-delà de deux ans. Il résulte d'une telle manière d'opérer que l'enfant se voit retirer la sécurité et le sentiment de continuité qu'il avait commencé à construire durant son placement. Le sens de cette expérience est alors perdu pour lui dans la mesure où, après avoir été amené à dépasser sa méfiance au point de former un lien, le jeune se trouve confronté à un abandon, initié ici par l'institution, ce qui ne peut qu'augmenter son ressentiment, son retrait et sa méfiance dans le futur.

L'implication de ceci est claire: les placements en soins intermédiaires qui ne tiennent pas compte de la problématique de l'attachement - affiliation devraient être évités dans le cas d'enfants de ce type, en faveur d'une admission dans une ressource de crise dont l'objectif serait de préparer le placement permanent du jeune. Un tel séjour viserait essentiellement à éclairer la nature des problèmes de l'enfant en les situant dans leur contexte écologique, i.e. en procédant à l'évaluation de ses relations avec sa famille et sa communauté d'origine, de même que de son fonctionnement dans le milieu d'accueil, à l'école et avec les intervenants du service social. Une fois engagée, cette démarche devrait conduire à un plan de traitement approprié qui soutiendra l'enfant dans la famille d'accueil, lorsqu'un placement sera possible, ou dans la ressource communautaire où il vit, mais sans toutefois que soit encouragée dans ce lieu la formation d'un lien d'attachement. Enfin, tous les services impliqués auprès de l'enfant devraient être invités à participer au processus d'évaluation et à la planification du cas. Plutôt que de simplement héberger l'enfant, le centre devrait s'assurer que les intervenants agissent de concert en mettant tout en oeuvre pour remplir le plan de soins, et qu'ils restent aussi disponibles pour procurer des services consultatifs et/ou des soins de répit, lorsque nécessaire. Le modèle développé par Holland, Moretti et Verlaan, tel qu'il a été mis en place au Centre de traitement pour adolescents Maples de Burnaby, C.B. est un exemple d'un tel programme.

Consultation en santé mentale auprès des services sociaux

Si les professionnels de la santé mentale ont peu à offrir de manière directe à la plupart des enfants placés, ils peuvent par contre contribuer grandement de façon indirecte en offrant des services de consultation aux collègues qui travaillent dans le réseau des services de protection. Il s'agit cependant d'une option qui est plus facilement praticable au Québec (via le tarif horaire) qu'elle ne l'est dans d'autres provinces où les modalités de consultation en santé mentale autres que celles centrées sur un cas, même si elles sont approuvées en principe, sont découragées par les mécanismes de paiement en vigueur.

Les psychiatres d'enfants sont souvent appelés en consultation par les services sociaux, soit pour procéder à des expertises qui sont utiles dans la planification de cas, ou pour appuyer la position des intervenants sociaux devant la Cour. Ces consultations peuvent en effet s'avérer précieuses, et particulièrement si elles ont lieu avant plutôt qu'à la suite d'une crise entraînée par une décision inappropriée. Le consultant aidera ainsi les intervenants impliqués à mieux comprendre les données sur lesquelles établir une décision, et à formuler un plan de soins en s'appuyant sur des critères développés à partir d'expériences déjà connues. Le fait aussi de rendre explicite la démarche de pensée qui sous-tend ses recommandations lui permettra de démystifier la consultation et d'amener les intervenants à reconnaître de quelle façon les principes retenus peuvent être étendus et appliqués à des cas similaires.

Il est toutefois évident qu'une telle consultation ne pourra être utile que si le consultant est perçu comme bien informé sur le sujet, s'il se montre sensible aux difficultés que rencontre l'équipe de soins dans sa tâche, respectueux des intervenants et de leur domaine d'expertise, mais également, s'il est capable de considérer avec souplesse d'autres arguments et de revoir certaines recommandations qui, même si elles sont souhaitables, peuvent s'avérer impraticables. Avec le temps, consultants et requérants apprendront à se connaître mutuellement, et à mesure que la confiance et la familiarité se développeront, l'utilité de la consultation et l'habileté de l'équipe à procurer des services plus éclairés aux enfants ne pourront aller qu'en augmentant.

Par ailleurs, un type de consultation en santé mentale qui peut se révéler encore plus profitable est celui où le consultant, dépassant la discussion de cas individuels, est invité à intervenir à propos d'un programme ou d'une structure développés par un centre ou une équipe d'intervention. Une telle consultation centrée sur un programme peut viser à augmenter le savoir et les habiletés des membres d'un service dans des domaines où ces derniers s'entendent avec le consultant sur la nécessité d'acquérir une expertise supplémentaire. Dans de pareils cas, il est cependant toujours bon de revoir le contrat de consultation au moins deux fois par année, en raison du roulement qui s'opère dans le service aussi bien que pour s'assurer que la consultation continue d'être perçue comme utile par les personnes impliquées.

Un modèle de consultation en santé mentale

Si les consultations organisées dans le cadre de programmes peuvent être centrées sur tout sujet à propos duquel un service ou une équipe cherche à développer sa compétence, certains champs d'expertise propres au consultant pourront par ailleurs contribuer au perfectionnement des intervenants sociaux. Le consultant pourra ainsi:

a) Augmenter les connaissances des intervenants dans le domaine du développement de l'enfant et de son évaluation.

Une connaissance du développement normal de l'enfant est nécessaire pour comprendre ses besoins à différents âges; une consultation qui aide à apprécier l'évolution de l'enfant et ses besoins aux divers stades de son développement augmentera chez les intervenants leurs capacités d'évaluation et leur efficacité dans le suivi des cas.

b) Accroître la capacité chez les intervenants à formuler et établir un plan de soins.

Plusieurs praticiens de première ligne interviennent parfois sans résultat valable parce que leur action ne repose pas sur la compréhension des besoins de l'enfant. S'il s'appuie sur une évaluation et une formulation adéquates, l'intervenant parviendra à une meilleure compréhension des besoins, ce qui réduira le risque d'erreurs dans le suivi du cas. Suggérer des modèles de formulation et proposer des ateliers où des cas sont apportés et discutés en fonction de ces modèles sont d'excellents moyens de faire de la consultation en santé mentale.

c) Attirer l'attention des intervenants sur certains facteurs non reconnus qui peuvent contribuer à la persistance d'un problème.

Assez souvent, des intervenants interprètent des frictions ou des conflits qui surviennent entre un enfant et la famille d'accueil en se basant simplement sur ses comportements, ou en se rapportant au fait que l'enfant a été blessé par des événements dans le passé, par exemple, qu'il a été victime d'abus sexuel dans sa famille d'origine. Si le consultant est capable de démontrer comment la pathologie dans ses dimensions intrapsychiques affecte les comportements actuels et perpétue d'anciens conflits via des phénomènes de transfert, cette consultation aidera les intervenants à développer une plus profonde compréhension du patient qu'ils pourront ensuite reporter à d'autres cas.

d) Servir de personne-ressource à propos d'habiletés spécifiques.

On pourra faire appel aux services de certains consultants qui participeront à des programmes de formation dans des domaines particuliers d'expertise, tels que la compréhension et la communication avec l'enfant par le jeu, la guidance auprès de familles ou de groupes, etc.

e) Fournir des modèles de compréhension et des connaissances dans des sphères-clés, telles que l'attachement et la séparation; l'assistance dans le travail de deuil; l'évaluation des compétences parentales; la présentation d'un dossier pertinent en vue d'une comparution en cour; l'évaluation et la conduite à tenir dans le cas d'allégations d'abus sexuel, etc.

f) Proposer une ligne de pensée quant à la manière et au moment d'appuyer les défenses du patient ou de les confronter.

Il arrive, et particulièrement au moment où le processus thérapeutique se trouve exposé en cours de supervision, que se manifeste une conviction communément répandue mais erronée, à savoir qu'il est toujours justifié d'appeler les choses par leur nom (utiliser la confrontation, tel que l'intervenant le rationalise), ce qui peut légitimiser une quantité considérable d'agirs violents et destructeurs. En amenant les intervenants à comprendre le rôle des défenses et à développer une ligne de pensée qui leur permette de déterminer quand et comment il est préférable d'intervenir par rapport à celles-ci au cours du traitement, le consultant pourra aider les intervenants à améliorer grandement le suivi de même que leurs relations avec les enfants dont ils ont la charge.

g) Mettre en évidence des objectifs réalistes.

Une raison commune à plusieurs demandes de consultations centrées sur des cas particuliers tient au sentiment d'incompétence éprouvé par certains intervenants, ainsi qu'au découragement et à la culpabilité qu'ils ressentent. Ils ont l'impression de ne pas faire assez pour aider l'enfant, et qu'un thérapeute, i.e. quelqu'un qui est plus entraîné et, tel qu'ils le voient, plus habile qu'eux, serait capable de réussir là où ils ont échoué. Dans plusieurs cas, ces attentes sont tout à fait irréalistes, en plus d'être injustes et très démoralisantes pour l'intervenant.

Le consultant aidera ici à mettre à jour les attentes magiques entretenues par rapport à la thérapie, en amenant l'intervenant à distinguer entre ce qui peut être fait et ce qui ne peut pas l'être, dans certains cas complexes ou chroniques; en resituant le traitement en fonction d'objectifs plus réalistes, il contribuera à diminuer la pression, tant sur l'intervenant que sur l'enfant.

h) Aider à séparer les mythes des faits réels.

Plusieurs décisions prises en vue du bien-être de l'enfant sont souvent basées sur des mythes généralement acceptés comme des faits, tel par exemple, «Il est toujours mieux que les enfants soient rendus à leurs parents»; «Un enfant est toujours mieux dans une famille d'adoption que dans un foyer d'accueil», etc. Assister les intervenants moins familiers avec les méconnaissances et les contradictions contenues dans la littérature professionnelle en leur apprenant à distinguer les mythes des savoirs lacunaires, permet de dégager leur pouvoir de décision d'erreurs associées à de fausses informations ou à des stéréotypes.

L'utilité clinique d'un tel modèle de consultation en santé mentale et les profits retirés de ses effets multiplicateurs sont discutés ailleurs de façon plus détaillée (Steinhauer, 1991C).

Conclusion

En résumé, malgré la gravité des problèmes retrouvés chez plusieurs enfants placés, nous croyons que c'est en apportant leur support aux collègues des services sociaux que les professionnels de la santé mentale peuvent généralement le mieux aider ces enfants. Un tel support étant accessible, le système de protection se trouvera d'autant mieux assisté dans sa tâche, i.e. dans la planification rigoureuse de mesures basées sur l'évaluation des compétences parentales, de manière à déterminer quelle famille convient le mieux aux besoins spécifiques de chaque enfant et à promouvoir la permanence de son placement.

Redisons finalement que ce dont les enfants placés ont le plus besoin, c'est d'avoir la chance de poursuivre leur développement dans une famille qui leur apporte la stabilité et se montre sensible à leurs besoins. Nous, professionnels de la santé mentale, pouvons indirectement contribuer et faire davantage pour les aider par la consultation offerte aux collègues des services de protection, plutôt qu'en s'impliquant directement dans des psychothérapies individuelles qui sont d'une pertinence douteuse pour la plupart de ces enfants.❖

After reviewing why it is that the children currently entering foster care are generally considered seriously disturbed and conceding that foster children show an extremely high incidence of behavioural and emotional disorders, the author suggests that the requests made by mental health professionals to involve foster children in ongoing therapy are often unrealistic and potentially harmful. He suggests six criteria to be met before foster children are taken into psychotherapy. After exploring the limits of the contribution that intermediate residential treatment can make to the management of foster children with longstanding conduct/oppositional/defiant disorders, he recommends an ecological model which supports the management of such children in their home community. He also describes a number of ways in which senior mental health professionals can be more valuable to the child welfare system through provision of mental health consultation than through the provision of direct, and frequently irrelevant, treatment for foster children.

Références

Berridge D, Cleaver H. **Foster home breakdown.** Oxford: Basil Blackwell, 1987.

Children's Aid Society of Metropolitan Toronto. **Fact sheet** and **Challenges** [Internal documents mimeographed by the Children's Aid Society of Metropolitan Toronto and presented to its Board of Directors] 1991.

Cooper JD. **Patterns of family placement: current issues in fostering and adoption.** London: National Children's Bureau, 1978.

Darnell D. Report of review of foster care in Ontario, sponsored by the Ontario Association of Children's Aid Societies and the Foster Parents Association of Ontario, summarized in «The future of foster care: towards a redesign in '89». **Ont Assoc Child Aid Soc J** 1987;32(2):1-20.

Egeland B, Erickson MF. Rising above the past: strategies for helping new mothers break the cycle of abuse and neglect. **Zero to Three** 1990;11(2):29-35.

Famularo R, Barum R, Stone K. Court-ordered removal in severe child maltreatment: an association to parental major affective disorder. **Child Abuse Negl** 1986;10:487-492.

Giles-Sims J, Finkelhor D. Child abuse in step families. **Fam Relat** 1984;33:407-413.

Hepworth HP. **Foster care and adoption in Canada.** Ottawa: Canadian Council on Social Development, 1980.

Hochstadt NJ, Jaudes PK, Zimo DA, Schachter J. The medical and psychosocial needs of children entering foster care. **Child Abuse Negl** 1987;11:53-62.

Holland R, Moretti MM, Verlaan V. **Attachment and adolescence: a theoretical perspective and ecologically based programme for disaffiliated youths and their communities.** Panel presentation at Annual Meeting of the Canadian Academy of Child Psychiatry in September 1992, in Montreal. [Reprint requests available from Dr. M. Moretti, Response Program, Maples Adolescent Centre, 3405 Willingdon Ave., Burnaby, B.C., V5G 3H4]

Jaffe P, Hurley DH, Wolfe D. Children's observations of violence: I. Critical issues in child development and intervention planning. **Can J Psychiatry** 1992;35:466-470.

Leslie B. **Casework and client characteristics of cocaine crack using parents in a child welfare setting.** [Mimeographed paper] Toronto: Children's Aid Society of Metropolitan Toronto, 1991.

Main M, Solomon J. Discovery of new, insecure-disorganized/disoriented attachment pattern. In: Yogman M, Brazelton TB (Eds). **Affective development in infancy.** Norwood, NJ: Ablex, 1986.

Miller JS, Williams KM, English DJ, Olmstead J. **Risk assessment in child psychiatry: a review of the literature.** Washington State Dept. of Social and Health Services, Division of Children and Family Services, 1987.

Murphy JM, Jelliner M, Quinn D, Smith G, Poitrast FG, Goshko M. Substance abuse and serious child mistreatment: prevalence, risk and outcome in a court sample. **Child Abuse Negl** 1991;15:197-221.

Offord DR, Boyle MH, Racine YA. **Ontario Child Health Study: children at risk.** Toronto: Ontario Ministry of Community and Social Services, 1989.

Schneider J, Griffith D, Chasnoff I. Infants exposed to cocaine in utero: implications for developmental assessment and intervention. **Infants Young Children** 1989;42:25-36.

Steinhauer PD. Issues of attachment and separation: mourning and loss in children. In: Steinhauer PD. (Ed). **The least detrimental alternative: a systematic guide to case planning and decision making in foster care.** Toronto: University of Toronto Press, 1991:13-41.

Steinhauer PD. The role of psychotherapy and residential treatment within the child welfare system. In: Steinhauer PD. (Ed). **The least detrimental alternative: a systematic guide to case planning and decision making in foster care.** Toronto: University of Toronto Press, 1991: 258-282.

Steinhauer PD. Potential contributions of mental health consultants within the child welfare system. In: Steinhauer PD. (Ed). **The least detrimental alternative: a systematic guide to case planning and decision making in foster care.** Toronto: University of Toronto Press, 1991: 233-257.

Streissguth AP, Aase JM, Clarren SK, Randels SP, LaDue RA, Smith DF. Fetal alcohol syndrome in adolescents and adults. **JAMA** 1991;265:1961-1967.

Thompson L. Working with alcoholic families in a child welfare agency: the problem of underdiagnosis. **Child Welfare** 1990;59:464-470.

COMPRENDRE LA COLLABORATION ÉDUCATEUR(S)<—>PARENT(S) dans un contexte de placement

Gilles GENDREAU
Louise BAILLARGEON
Pierre BOUCHARD

Psycho-éducateur de formation et auteur de plusieurs livres, Gilles GENDREAU a été directeur de Boscoville de 1959 à 1971 et directeur du Centre de Psycho-Education. Professeur émérite à l'Ecole de Psycho-Education de l'Université de Montréal.

Louise BAILLARGEON est conseillère clinique auprès du secteur des 0 à 12 ans au Centre Dominique-Savio-Mainbourg.

Pierre BOUCHARD est détenteur d'un baccalauréat en éducation et occupe le poste de conseiller en placement familial au Centre Dominique-Savio-Mainbourg depuis 1990.

Cet article s'inspire des travaux effectués par Gilles Gendreau sur la collaboration entre éducateurs et parents à la suite d'une recherche-action entreprise il y a plus de six ans au Centre d'accueil des Quatre Vents (Saint-Donat, Québec), travaux qui ont donné lieu à la publication d'un livre intitulé Briser l'isolement entre jeunes en difficulté, éducateurs et parents. Il a été enrichi par les expériences pratiques de Louise Baillargeon et de Pierre Bouchard. Il n'a d'autre prétention que de vouloir éclairer la conception de la collaboration E<—->P qui apparaît souvent comme éclatée, pleine d'ambiguïtés, et parfois source de faux conflits entre professionnels de différentes formations.

Introduction

Dans les pages qui suivent, nous proposons une réflexion sur la collaboration qui doit s'établir entre les éducateurs professionnels et les éducateurs naturels (parents) qui ont à assumer conjointement l'accompagnement éducatif d'un jeune en difficulté. Bien sûr, cet accompagnement éducatif est offert de façon ponctuelle par les éducateurs professionnels et dans le contexte de certaines mesures de soutien éducatif spécialisé, alors que les éducateurs naturels (parents) se doivent de l'assurer de façon beaucoup plus globale, sans limites précises de temps ni d'espace. Mais avant d'aborder quelques éléments du concept même de collaboration E<—>P, analysons une expérience de collaboration entre parents et éducateurs dans le lourd contexte légal de

Partant des premiers pas d'une expérience de collaboration entre une mère et un éducateur professionnel, dans le contexte légal de l'exécution d'une mesure de placement dite non volontaire d'une enfant de 4 ans, les auteurs analysent le déroulement d'une première rencontre et en dégagent des pistes débouchant sur ce qu'ils considèrent être la nature de la collaboration.

Selon le point de vue développé ici, la collaboration E<—>P consisterait essentiellement à travailler avec et non sur les parents. Elle viserait, avant tout, à apporter un support aux parents dans leur rôle d'éducateurs naturels mais aussi aux éducateurs professionnels en tant que spécialistes de l'action éducative auprès de jeunes en difficulté. Cet article devrait permettre de rendre compte de la grande complexité de la collaboration avec les parents.

l'exécution d'une mesure de placement dite non volontaire d'une enfant de 4 ans.

Le contexte du placement

Ordonnance de placement en centre de réadaptation (C.R.) pour 6 mois. Refus et désaccord de la mère. Celle-ci ne reconnaît pas les problèmes de Nicole et est en rupture avec le praticien social.

Les acteurs de la situation

• Un éducateur professionnel rattaché à une ressource de réadaptation à qui le juge a confié la petite Nicole. Ce professionnel a fait siennes les hypothèses-guides suivantes:

1. La mère de l'enfant, malgré la récente ordonnance du juge, pourrait quand même avoir vécu avec sa fille des expériences qui lui en donnent une connaissance irremplaçable et qui la rendent apte à l'aider, lui, l'éducateur professionnel dans ses interactions futures avec la petite.
2. L'éducateur devrait faire en sorte que soient mises en commun les compétences de la mère et les siennes, même si la mère a été reconnue inapte, et faire ainsi que leurs vulnérabilités réciproques n'entrent pas en jeu automatiquement.
3. Une rencontre pourrait, moyennant certaines conditions, permettre à l'un et à l'autre de s'offrir un support mutuel dans l'accompagnement éducatif d'une petite dont ils sont tous deux responsables (bien qu'à des degrés divers).

De plus, l'expérience de l'éducateur lui a appris qu'il est malsain dans toute démarche de collaboration avec des parents, soit de développer des perspectives idéalistes sans liens solides avec la réalité vécue par ces derniers, soit de réduire leur potentiel éducatif aux seules situations où leur incompétence est particulièrement évidente. Mais il sait aussi qu'il peut être tentant, dans un tel contexte, de généraliser l'incompétence des parents à toutes les situations éducatives dans lesquelles ils se retrouvent. Par contre, il est convaincu que la compétence la plus fondamentale du professionnel réside dans son habileté à utiliser les situations de vulnérabilité ou d'incompétence des parents pour amener ceux-ci à les dépasser. Et s'il doit tenir compte de leurs manques, il ne doit toutefois pas s'y arrêter ni, inversement, se centrer sur leurs compétences en feignant d'ignorer totalement leurs vulnérabilités.

• La grand-mère et son conjoint

• La mère

• Nicole, la petite de quatre ans qui, tout en étant absente physiquement, est constamment présente.

Les premiers pas de la collaboration

A la première visite, lorsque l'éducateur arrive à la maison, la grand-mère et son conjoint sont présents. Francine, la mère, et sa fille Nicole sont absentes. La grand-mère dit: *«Francine va arriver plus tard.» L'éducateur demande: «Etes-vous certaine qu'elle va venir?»* La grand-mère répond qu'elle pense que oui. Après les présentations d'usage, l'éducateur demande à la grand-mère comment elle perçoit la situation dans son ensemble. Ici, l'éducateur note qu'il cherche à obtenir le point de vue de la grand-mère sur ce placement afin de mieux comprendre la réaction de la mère.

La grand-mère se dit d'accord avec le placement parce que Francine n'est pas capable de s'occuper adéquatement de sa fille Nicole.

> *«Vous savez, Francine a des problèmes de drogue, et ça l'amène à négliger la petite. Souvent elle perd patience trop rapidement et les pénitences sont trop longues. Quand elle est à bout, elle me l'amène ici. Moi aussi j'ai de la misère, car la petite joue entre sa mère et moi. Je suis parfois bien fatiguée mais je n'en parle pas à ma fille, ça lui ferait de la peine et en plus ça va faire de la chicane.»*

La grand-mère aborde son propre vécu de 22 ans avec les services sociaux: interventions de plusieurs praticiens sociaux, placement de ses enfants en familles d'accueil. Elle a eu beaucoup de difficultés à garder contact avec ses enfants, et elle a même perdu de vue un de ses fils pendant deux ans, pour se rendre compte ensuite qu'il avait été battu et maltraité. Francine est la seule à n'avoir pas été placée.

Analyse et commentaires de la 1ère partie de la rencontre

Il est dès lors facile pour l'éducateur de constater que le placement de sa fille réveille en Francine des expériences existentielles intimes, qu'elle situe ce placement dans un contexte environnemental passé, ravivé ici, et qui envahit la situation présente. Dans son esprit, aucun type de placement ne peut être approprié. C'est donc à partir de ces perceptions et de cette incapacité de distinguer la situation actuelle de celles du passé familial que s'engagent les toutes premières interactions de collaboration.

L'éducateur comprend aussi qu'il ne s'agit pas d'insister sur le contenu passé des expériences relatées par la grand-mère ou de faire des liens avec ce que la mère et la grand-mère ont à vivre actuellement, mais bien d'écouter avec considération, respect et beaucoup d'empathie ce qui est exprimé. Notons qu'il est quelque peu étonnant que l'éducateur professionnel n'ait pas été informé par celui que l'on appelle le praticien social de certains faits de l'histoire familiale, si importants dans le contexte de l'intégration de Nicole au C.R. S'il l'avait été, l'éducateur aurait pu comprendre, avant même de se présenter à la rencontre, «pourquoi la mère a peur des centres d'accueil et encore plus des familles d'accueil», et il aurait pu se préparer en conséquence.

Dans son analyse de cette première intervention, l'éducateur dira: *«Cette description de l'histoire familiale est riche d'informations et me situe pour poursuivre la rencontre»*. En effet, il était essentiel, dans ce cas précis, que la grand-mère aborde ces contenus avec l'éducateur. Notons cependant que, d'une façon générale, il est souhaitable que l'éducateur résiste à la tentation de faire raconter de nouveau par les parents leur histoire familiale. Des parents nous ont déjà dit: *«Nous l'avons fait tellement de fois qu'on a l'impression que c'est seulement notre passé qui intéresse les intervenants»*. Ici, cependant, ce sont les perceptions du placement qui sont en cause et ce qui est dit par la grand-mère est d'autant plus pertinent que l'expression en est spontanée et vraiment reliée à la situation présente du placement de la petite Nicole. Elles ne résultent pas d'une enquête systématique de la part de l'éducateur.

La seconde partie de la rencontre: la collaboration s'établit lentement

A un moment donné, le téléphone sonne. C'est Francine: elles parlent ensemble et l'éducateur entend la grand-mère dire: *«Oui il est ici et il veut te voir»*. A peine quelques minutes après la fin du téléphone, Francine arrive (elle était au coin de la rue) avec un «hot- dog» et une frite. Elle entre dans la cuisine, dépose son manteau et s'installe pour manger sans regarder l'éducateur ni le saluer. Elle est assise à côté de l'éducateur; celui-ci la salue, elle ne répond pas. Après quelques minutes de silence, Francine attaque. Elle commence par raconter qu'elle et son praticien social ne sont plus capables de se voir ni même de se parler: *«Il me joue dans le dos et ne respecte pas sa parole, etc...»*

Lorsqu'elle se calme un peu, l'éducateur lui demande de lui expliquer ce qui s'est passé pour que sa fille ait une ordonnance de six mois en C.R. Elle recommence à critiquer les juges et le reste du système qu'elle qualifie de pourri. Elle ajoute que pour elle, *«c'est clair, sa fille n'ira jamais en centre d'accueil.»* Alors l'éducateur tente de lui parler du centre d'accueil. Elle l'interrompt et réagit vivement: *«Je ne veux rien savoir des centres d'accueil, ni du tien, ni des autres. Ton centre, tu peux te le mettre...»*

L'éducateur change alors de sujet et, la regardant, lui dit: *«Francine, je te sens très inquiète»*. Il y a alors une petite hésitation de la part de Francine. Elle regarde l'éducateur et dit: *«Oui je suis inquiète, je ne veux pas qu'il arrive à ma fille ce qui est arrivé à mes frères.»* Et continuant, elle raconte les grandes lignes de l'histoire familiale, et termine en disant : *«C'est normal que j'aie peur pour ma fille»*.

Alors l'éducateur, tout en sachant que Francine pourrait réagir, lui dit : *«J'ai une place pour Nicole dans une famille d'accueil.»* Elle réagit vivement: *«Les familles d'accueil, c'est pire que les centres d'accueil»*. *«J'ai aussi une place au centre, ajoute l'éducateur, mais je croyais que tu ne voulais pas que ta fille aille en centre d'accueil. Tu vois que c'est important que l'on se parle. J'ai besoin de ton aide mais c'est Nicole qui en a le plus besoin afin de bien préparer le placement.»*

Analyse et commentaires de la seconde partie de la rencontre

Dans son analyse, l'éducateur écrit qu'il sent que la mère *«est là par obligation»*. Nous serions portés à dire: *«Mais comment, dans ce contexte, pourrait-il en être autrement?»* C'est là une des caractéristiques normales de la plupart des ordonnances de placement non volontaire. Le contraire serait étonnant! La collaboration ne commence-t-elle pas alors sous de bien mauvais augures? Comment l'établir, en effet, quand le mouvement spontané d'un des acteurs principaux est apparemment de refuser ce pour quoi elle doit exister?

D'abord, par l'attitude de l'éducateur qui n'oublie pas qu'il est là, lui aussi, par obligation. Le mandat qui lui est donné par les autorités socio-judiciaires, c'est de faciliter l'application de l'ordonnance de Nicole; il n'a aucun pouvoir pour la changer. Plus loin, dans la rencontre, on verra que l'éducateur l'a bien compris quand il précisera: *«Tu sais, Francine , ce n'est pas moi qui ai rendu l'ordonnance»*, après lui avoir dit: *«Mon seul objectif est qu'ensemble nous préparions Nicole à son placement pour qu'elle et toi soyez le moins blessées possible»*. Pas de grands discours sur les bienfaits du placement. Non, simplement rappeler l'essentiel du vécu du moment. *«Cela, c'est en notre pouvoir, aurait pu ajouter l'éducateur, le tien, Francine, et le mien. Pourquoi ne pas nous l'approprier?»*

Après ce tout premier pas vers la collaboration que constitue l'arrivée de Francine, il y en a un second: elle attaque. Elle déverse son fiel, *«elle se défoule contre son praticien social et le reste des intervenants»* et va même jusqu'à affirmer: *«Tout ce qu'il veut, c'est coucher avec moi...»* L'interaction avec l'éducateur vient de prendre un premier visage: Francine la situe dans la continuité de toutes celles qui se sont établies entre elle et le praticien social. L'éducateur analyse: *«Je me sens visé», mais il ajoute: «ça ne me touche pas car je sais qu'au fond elle a très peur».* Oui, en effet, Francine a très peur mais elle accepte de crier sa peur à l'éducateur. N'est-ce pas là un signe qui a dû toucher l'éducateur, contrairement à l'analyse qu'il en fait, car il s'est senti visé. Et voilà encore une fois l'expression d'un vécu partagé dans l'analyse de l'éducateur:*«Je sais aussi qu'il faut que je l'écoute, ce n'est pas le temps de parler».* Etre attentif et considérer avec respect ce vécu, sans rien ajouter et surtout sans répondre au contenu avec des *«Oui, mais ...»*

Lorsque le calme est un peu rétabli, l'éducateur ramène la mère à la réalité de l'ordonnance : *«Je lui demande de m'expliquer ce qui s'est passé pour qu'elle ait une ordonnance de six mois en centre d'accueil».* Notons que la formulation de la question n'est peut-être pas des plus heureuses. L'éducateur risque d'accentuer les défenses de la mère en rattachant l'ordonnance du placement de Nicole à la mère plutôt qu'aux besoins de la fille. Ce faisant, il y a danger d'accentuer davantage son image de mauvaise mère, ce qui ne serait certes pas de nature à favoriser la collaboration.

Notons aussi qu'il ne faut pas dramatiser les erreurs d'animation; ce qui détermine la qualité des premiers gestes de collaboration d'un éducateur avec des parents, c'est d'abord l'attitude de respect chez celui-ci et l'absence de réponse inappropriée au contenu. Bien sûr, le rappel des fondements de la rencontre va entraîner de nouveau chez la mère l'expression violente de sa culpabilité autant que de sa peur. C'est alors que l'éducateur doit ajuster son intervention *«Francine, je te sens très inquiète».* Car c'est bien ce sentiment qui, dans les circonstances, est le plus important. Et voilà qu'elle livre son inquiétude; qui plus est, elle trouve la formule révélant qu'elle partage l'inquiétude de l'éducateur: *«C'est normal que j'aie peur pour ma fille».*

Encore un autre vécu partagé, l'inquiétude, même si la mère et l'éducateur n'ont pas les mêmes raisons de s'inquiéter. La mère s'inquiète du centre d'accueil; l'éducateur, des conditions d'accompagnement éducatif dans lesquelles se trouve Nicole. Et lui aussi livre alors son inquiétude: *«Je pense que Nicole a quelques petits problèmes...»*, et il en énumère quelques-uns. Il fait aussi mention d'une des interactions non appropriées de la mère et des conséquences que cela a pu avoir en empêchant Nicole de recevoir des services. Il est alors bien placé pour présenter son hypothèse à Francine:*«Francine, je crois que le problème n'est pas uniquement à Nicole. Qu'en penses-tu? »* La réponse de Francine devient ici appropriée: *«Je le sais que j'ai des difficultés»*, et elle ouvre la porte à l'éducateur qui peut lui proposer sa collaboration, *«mais je n'ai pas besoin de ton aide»*, dira-t-elle avec une fausse conviction. Alors l'éducateur fait preuve de congruence à son tour: *«Je vais clarifier une chose avec toi, Francine. Je ne suis pas ici pour faire une thérapie ou un suivi familial: mon seul objectif est qu'ensemble nous préparions Nicole à son placement...».*

Et voilà que l'éducateur fait un pas qui peut aider à sortir du cercle de la culpabilité paralysante où le risque de tourner en rond est tellement évident: *«J'ai besoin que tu m'aides à préparer ta fille (...) Francine, c'est toi qui connais ses habitudes, ses caprices, ce qui lui fait plaisir, etc.»* Voilà la compétence irremplaçable de la mère qui est valorisée et mise à contribution pour la réussite même de l'intégration de Nicole au centre d'accueil. Le message, qu'il faudra souvent répéter tout au long de la démarche de collaboration, est clair: ce n'est pas parce que ton enfant et toi avez besoin qu'il soit placé temporairement que tu n'as plus aucune compétence. Une preuve de cela est que le professionnel laisse filtrer un message subliminal: *«Tu dois m'aider à mieux m'occuper d'elle, moi l'éducateur professionnel qui ai pourtant des compétences dans l'accompagnement éducatif, moi, à qui le juge a momentanément confié ta fille».*

Bien sûr, à ce stade initial de la collaboration, l'éducateur n'a pas à verbaliser tout cela mais à le faire vivre. Et c'est possible, s'il est lui-même convaincu du bien-fondé de cette façon de faire et s'il ne se limite pas à une simple technique de maniement des comportements. Dans le cas présent, l'éducateur y croit car il demande à la mère, dès qu'il sent qu'elle a fait un autre pas, de lui parler un peu de Nicole. Quand elle a fini, il ajoute: *«Tu vois comme c'est important que tu sois présente dans l'intégration ».*

La fin de la première rencontre C'est peut-être l'alliance que le professionnel a établie avec la grand-mère, le respect qu'il lui a manifesté au début de la rencontre qui fait alors intervenir celle-ci: *«Ca a beaucoup changé, ce n'était pas comme cela avant.»* On peut constater combien tous les acteurs sont importants dans une démarche de collaboration et, d'une façon toute particulière, au cours de ses premiers moments. L'éducateur professionnel termine alors la rencontre en partageant spontanément un sentiment éprouvé sur-le-champ: *«Vous prenez la bonne décision et je suis très content».*

Analyse et commentaires

L'éducateur ne se comporte pas ici comme un fonctionnaire froid qui aurait terminé son travail sans reconnaître les efforts des autres; lui aussi est content de ce à quoi ils sont arrivés ensemble... et il le dit. Voilà un autre témoignage de collaboration: il y a partage entre des personnes concernées à des degrés divers certes, mais tout de même engagées dans la poursuite d'un même objectif: mieux accompagner Nicole. *«Je suis très content,»* dit l'éducateur, qui aurait d'ailleurs pu ajouter *«et je le suis surtout pour Nicole».*

Vers une définition de la collaboration E<—>P [1]

Au sens où nous l'entendons, la collaboration E<—>P dépasse largement celle connue dans le passé, qui consistait surtout à rechercher la genèse des difficultés du jeune. Elle ne s'exerçait que sporadiquement lors de certaines crises dans le processus de réadaptation, ou encore à la fin du mandat officiel accordé au centre de réadaptation. Elle est bien plus qu'une réponse au besoin qu'ont les professionnels de discuter avec les parents lorsque plus rien ne semble aller ou lors de conflits paralysant leur action éducative.

Les éducateurs naturels et professionnels ont ceci en commun qu'il leur appartient de mettre en place des conditions favorables à la croissance du jeune, que ce soit à la maison, à l'école ou ailleurs, dans des milieux spécialisés ou non. Ils ont à «se creuser la tête» pour trouver ce qu'il faut faire (sans être jamais certains d'y parvenir) et à mettre tout en oeuvre pour évaluer continuellement l'à-propos de leurs interventions.

De cette mise en commun, nous dirons qu'elle est essentiellement un échange entre deux groupes d'éducateurs: ceux qui le sont par leur fonction parentale, et que l'on qualifie de *naturels*, et ceux qui le sont devenus par formation et que l'on nomme *professionnels*. Ces deux types d'éducateurs sont complémentaires, tout comme leurs compétences d'ailleurs qui, dans le cas des professionnels, les habilitent à l'accompagnement éducatif spécialisé. La compétence des parents, quant à elle, fait d'eux les experts des situations éducatives vécues dans leur famille et son environnement. Dans les deux cas, ces compétences relèvent d'un savoir-être et d'un savoir-faire qui ont de nombreux points communs.

Éducateurs professionnels et éducateurs naturels ont à assumer conjointement l'accompagnement éducatif d'un jeune en difficulté. Il s'agit de vivre avec ce jeune un ensemble d'interactions structurelles et relationnelles[2] au moyen de l'observation et de l'évaluation de ses conduites dans un cadre éducatif (la famille et son environnement pour les parents; l'unité institutionnelle, pour l'éducateur professionnel) et dans les situations de l'ici et maintenant éducatif (faire dormir l'enfant, le faire manger, etc.), et aussi, au moyen de la communication qui en découle. La planification, l'organisation et l'animation des situations d'apprentissage de même que l'utilisation des événements de la vie quotidienne font aussi partie de l'accompagnement éducatif.

Educateurs professionnels et éducateurs naturels ont également à vivre avec le jeune des interactions relationnelles en l'encourageant et en l'aidant à se contrôler, en acceptant son agressivité, voire son hostilité, à l'occasion. Il va de soi que ce savoir-être et ce savoir-faire, pour atteindre au niveau de la spécialisation professionnelle, doivent être assortis d'un savoir tout court, c'est-à-dire de connaissances théoriques éclairantes mais souples et dépourvues de tout dogmatisme paralysant ou trop écrasant.

Cet échange entre éducateurs naturels et professionnels portera donc sur les interactions expérientielles[3], s'agissant ici du soutien qu'ils peuvent s'apporter mutuellement dans l'accompagnement du jeune qui est l'objet de leurs préoccupations. *«Francine, je te sens inquiète»*, traduit un sentiment observé par l'éducateur dans l'ici et maintenant de la rencontre préparatoire au placement de la petite Nicole. Et la mère de répondre: *«C'est normal que j'aie peur pour ma fille.»* Voilà qui permettra à la mère et à l'éducateur de mieux comprendre le contexte émotif de ces tout premiers pas de la collaboration. Mais l'échange entre éducateurs naturels et professionnels tient compte également des contenus existentiels. L'éducateur reçoit avec respect et empathie ce que la grand-mère et Francine lui racontent de leur existence passée; c'est sans doute d'ailleurs ce qui lui inspire sa remarque à la jeune mère à propos de son inquiétude.

Des lecteurs pourront cependant avoir l'impression que l'éducateur n'attache pas assez d'importance aux interactions existentielles[4]. Cette centration sur les interactions expérientielles laissera sceptiques certains professionnels qui insistent sur le fait qu'ils interviennent sur les parents ou sur le milieu, alors que nous parlons surtout de travail avec les parents et avec le milieu. Or, sans ignorer les interactions reliées au potentiel existentiel que représentent les contenus de la collaboration E<—>P, nous maintenons que c'est en travaillant avec les éducateurs naturels (parents) et en se centrant sur les interactions expérientielles qu'ils ont à coordonner et à qualifier avec les parents, que les éducateurs professionnels offriront à ceux-ci le soutien réaliste et fonctionnel dont ils ont besoin dans l'accompagnement de leur jeune en difficulté. Il reviendra ensuite aux parents, tout comme aux professionnels d'ailleurs, d'en tirer des conséquences, soit pour éclairer leur contexte existentiel individuel, soit pour le recadrer (diront les systémiques) en cherchant ailleurs, s'il y a lieu, des moyens de nature proprement thérapeutique.

Nous sommes bien conscients qu'il est souvent difficile, dans la pratique, de démarquer les deux types d'interactions (existentielles et expérientielles), et tel n'est pas notre propos ici. Ce que nous voulons faire voir, c'est que la collaboration entre éducateurs naturels et professionnels se situe dans les multiples interactions expérientielles que ces adultes ont l'occasion de vivre dans l'accompagnement éducatif d'un jeune: partager leurs observations à propos de ses conduites et des leurs, se communiquer les résultats de leur analyse, établir ensemble les plans d'actions éducatives, voire, vivre en commun certaines activités de l'accompagnement éducatif. Ce sont ces interactions expérientielles qui constituent le contenu principal des activités de collaboration. Que ces activités aient des conséquences bénéfiques sur les interactions relationnelles existentielles des individus, ou du couple, s'il y a lieu, en les rendant plus souples et plus sûrs d'eux-mêmes comme éducateurs, ne change pas, selon nous, la nature de la collaboration qui consiste essentiellement à travailler *avec* et non *sur* les parents.

La collaboration viserait donc, avant tout, à apporter un support aux parents dans leur rôle d'éducateurs naturels, mais aussi aux éducateurs professionnels dans celui de spécialistes de l'action éducative auprès de jeunes en difficulté. Or, cette formule générale peut être interprétée de plusieurs façons, selon les modèles de référence de chaque catégorie d'intervenants. Quant à nous, nous situons ce support essentiellement dans les actions réciproques des éducateurs professionnels et des parents. Pour les éducateurs professionnels, travailler avec les parents, ce serait donc accepter et respecter le potentiel et les schèmes existentiels respectifs de chacun (ceux des parents et les leurs)[5] dans le déroulement d'expériences de collaboration vécues *ensemble*. Pour les parents, travailler avec les éducateurs professionnels, ce serait accepter qu'on les aide à mieux s'approprier leur propre rôle.

Nous pouvons donc énoncer l'hypothèse que c'est à travers les opérations de collaboration que l'éducateur professionnel peut amener les parents qui ne sont pas nécessairement efficaces[6] dans tous les domaines, à se construire une image de parents conscients de leurs compétences irremplaçables dans l'accompagnement éducatif de leur enfant. Pour atténuer ou faire disparaître la honte chez certains parents, par exemple, devant leurs échecs répétés dans l'accompagnement de leur enfant, il n'est pas nécessaire que l'éducateur sorte de son rôle, en tentant d'en extirper les racines. Cette honte se dissipera sans doute d'elle-même quand, dans la réalité de leur action éducative, les parents seront devenus capables d'aider leur jeune à faire des progrès, et si minimes soient-ils, de les reconnaître, et surtout, de s'approprier la part qui leur revient dans cette évolution. De son côté, l'éducateur professionnel est bien placé pour soutenir les parents puisqu'il a des interactions analogues avec le même jeune. Que parents et professionnels en arrivent à partager leurs expériences, à mettre en valeur leurs compétences en toute simplicité et à faire jouer de façon moins automatique leurs vulnérabilités, voilà ce qu'est le support aux personnes et ce que pourrait apporter la collaboration E<—>P.

Un retour à l'étymologie nous aidera ici à faire le point. Du latin, cum laborare, le mot collaborer veut dire travailler avec, travailler ensemble; le verbe laborare, qui veut aussi dire se donner de la peine, nous a d'ailleurs donné le nom laboureur (Ausloos, 1990). Dans un contexte de collaboration, éducateurs naturels et professionnels labourent ensemble le champ de l'éducation de leur[7] jeune; ils y déposent ensemble les semences les plus susceptibles de produire les meilleurs fruits, eu égard aux objectifs poursuivis.

Une définition de la collaboration E<—>P

Après ces considérations générales, nous pouvons proposer une définition. La collaboration E<—>P est un échange constant entre éducateurs naturels et professionnels à propos, à partir et en vue de l'accompagnement éducatif d'un jeune. Cet échange s'exprime dans un ensemble d'opérations qui visent spécifiquement la mise en commun de leurs modèles d'action éducative et de leurs compétences afin de comprendre, d'approfondir et de respecter les valeurs en cause, et d'ajuster les modalités de leur action éducative selon la qualité de leurs interactions relationnelles avec le jeune qu'ils accompagnent.

Cette collaboration est essentiellement un travail d'équipe. L'échange dont il est question repose sur un minimum de confiance réciproque et sur des modalités de partenariat qui permettent à chacun des acteurs d'exercer ses compétences, d'en prendre conscience et de les améliorer. Les modalités de collaboration peuvent être diverses car elles doivent tenir compte de la spécificité de chaque milieu, de chaque contexte, et de chacun des acteurs. En tout temps cependant, on s'attend à ce que les conditions mises en place amènent chacun à reconnaître ses compétences dans un champ éducatif partagé et, en tout premier lieu, le jeune (envers qui parents et professionnels assument des responsabilités éducatives complémentaires) qui doit trouver lui-même ses propres moyens d'adaptation et les développer, et ce, quel que soit son âge.

Pour que cette appropriation des compétences s'effectue dans une certaine harmonie, les éducateurs (parents et professionnels) doivent accepter, d'une part, de parler de leurs valeurs éducatives à partir de situations concrètes vécues avec le jeune et, d'autre part, de questionner ces valeurs tout en se respectant et en cherchant ce qu'ils peuvent faire ensemble pour mieux accompagner et favoriser des interactions appropriées entre le jeune et son environnement (personnes et objets).

Mais qu'est-ce qui autorise parents et professionnels à qualifier de telles interactions d'appropriées ou non? Après moult détours, force nous est d'admettre - ce qui ne simplifie pas la réponse - que c'est principalement à partir de leurs modèles de référence existentiels et expérientiels pratiques et théoriques (d'ordre éducatif, psychologique, sociologique, etc.), à partir aussi de leurs valeurs familiales et sociales et, en général, de leurs perceptions, que les éducateurs (parents et professionnels) peuvent évaluer si leurs interactions sont appropriées ou non. Cela suppose d'emblée qu'entre ces deux catégories d'éducateurs, il existe une communication qui les amène à mettre en commun leurs modèles, à comprendre et respecter leurs valeurs, tout en évoluant et en s'ajustant aux modalités d'action éducative nécessaires à l'enfant dont ils partagent l'accompagnement.

Apprendre la collaboration E<—>P, c'est d'abord accepter d'être éducateur

En conclusion, nous voudrions insister sur le fait qu'apprendre à collaborer avec les parents, en tant qu'éducateur professionnel, c'est d'abord s'imprégner de cette réalité que les parents sont les éducateurs naturels de leurs enfants, quelles que soient les difficultés de ces derniers, et que le rôle de l'éducateur professionnel est de continuer en quelque sorte leur action dans ce qu'elle a de valable pour l'enfant. C'est aussi développer ses compétences de spécialiste de l'action éducative en s'efforçant de tirer parti des difficultés de parcours, sans condamner ni excuser les parents, sans se condamner ni s'excuser soi-même pour les difficultés qu'ils éprouvent dans l'accompagnement éducatif de leur jeune.

Etre éducateur, c'est croire que le peu que l'on fait pour aider un enfant à évoluer prend tout son sens si on réussit, dans le contexte de la collaboration avec les parents, à ce que ces derniers retrouvent un peu d'espoir dans leurs propres possibilités d'éducateurs naturels. C'est accepter qu'une telle démarche ne réglera pas tous les problèmes des parents mais qu'elle pourra leur faire vivre des expériences de co-accompagnement éducatif sécurisantes et gratifiantes, en même temps qu'elles seront l'occasion d'un apprentissage humain, lui-même porteur d'autres démarches. L'éducateur ne pourra faire vivre de telles expériences que s'il a lui-même la conviction (et surtout la compétence sur laquelle repose cette conviction) que tous les actes d'un accompagnement éducatif professionnel sont importants pour aider les jeunes et leurs parents à surmonter leurs difficultés et à se découvrir (ou se re-découvrir) des compétences qui avaient souvent été jusqu'alors complètement inhibées.❖

Considering the first steps of an experience of collaboration in the legal context of a non voluntary measure of placement in the case of a 4 year-old girl, the authors analyze the evolution of a first meeting between a young mother and a professional educator, bringing into focus the signs of what they consider to be the nature of collaboration.

As developed in this essay, collaboration consists essentially in working with, and not on, the parents. Its main objective is to support the parents in their role as natural educators but also the professional educator as specialist devoted to the educative activity of severely disturbed children. This article should ultimately put some light on the great complexity involved in the task of collaboration with parents.

Notes

1. Cette partie et la prochaine sont largement inspirées du volume Briser l'isolement (Gendreau, 1993), pp. 84 et suivantes.
2. Les interactions structurelles sont reliées à la logique des structures de l'organisation éducative (cadres généraux et situation de l'ici et du maintenant quotidien), alors que les interactions relationnelles sont spécifiques aux personnes.
3. Les interactions de type expérientiel sont reliées au mouvement centrifuge de l'adaptation, l'accommodation au monde extérieur et à ses relatives nouveautés. C'est ce qui permet à l'individu, tout en restant dans les limites de son potentiel, de pouvoir dépasser en quelque sorte la rigidité naturelle de certains schèmes existentiels.
4. Nous définissons les interactions de type existentiel comme étant reliées à l'histoire génétique, cognitivo-affective et sociale d'une personne et, en général, aux valeurs auxquelles est rattachée son existence propre. Ce sont les interactions issues du processus d'apprentissage relié à l'organisation interne de l'individu, à ce qui constitue son être propre, son individualité.
5. Qui sont en quelque sorte les modèles intériorisés susceptibles de donner leur signification intime aux conduites des individus, laquelle signification n'atténue aucunement,

dans le contexte de notre propos, la nécessité de leur collaboration pour mieux réussir le placement de Nicole.

6. La collaboration ne libère pas les éducateurs, naturels ou professionnels, de toutes leurs vulnérabilités.
7. L'adjectif possessif est ambigü, puisque le jeune n'appartient à personne, sauf à lui-même; il veut cependant indiquer un lien de responsabilité dans la démarche éducative.

Références

Ausloos G. **Famille et institution, ou pourquoi il ne faut pas introduire la thérapie familiale en institution.** [Texte polycopié d'une conférence donnée à Montréal] Montréal: Centre d'Orientation et de Réadaptation, 1983.

Ausloos G. Vers un fonctionnement systémique de l'institution. **Thérapie familiale** 1985;6(3):235-242.

Ausloos G. Familles à transactions rigides ou chaotiques: deux façons différentes de vivre le temps. **Thérapie familiale** 1990;11:15-25.

Ausloos G. Collaborer, c'est travailler ensemble: des parents-clients aux parents-collaborateurs. **Thérapie familiale** 1991;12:237-247.

Belpaire F. Intervenir sur les individus ou intervenir sur les systèmes. **Rev can psycho-éducation** 1991;20(1):59-73.

Désy J. **Programme de réadaptation où le psycho-éducateur supporte le jeune en difficulté face à lui-même dans sa famille, son quartier, son école et dans le centre d'accueil.** [Mémoire inédit de maîtrise] Montréal: Ecole de psycho-éducation, Université de Montréal, 1982.

Emery L. **Agenda d'une utopie.** [Document de l'Astural] Centre de Chevrens, Suisse, 1986.

Emery L. Au-delà de l'introduction de la pensée systémique dans l'institution: quelle compréhension, quelle pratique, quelle institution? [Document photocopié] Centre de Chevrens, Suisse, 1990.

Gendreau G, Métayer D, Lebon A. L'action psychoéducative. Pour qui? Pour quoi? Paris: Fleurus, 1990.

Gendreau G. Educateurs professionnels et éducateurs naturels. Colloque sur la collaboration E<—>P, juin 1990. L'Eventail, Centre de documentation du Centre d'accueil des Quatre Vents, Saint-Donat, Québec.

Gendreau G, et al. Briser l'isolement entre jeunes en difficulté, éducateurs et parents. Montréal: Sciences et culture, 1993.

Groupe de recherche inter-universitaire sur la prévention de l'inadaptation psycho-sociale (sous la direction de Lucie Bertrand). **Projet pilote de prévention de comportements antisociaux chez des garçons agressifs à la maternelle - guides d'intervention.** Montréal: Université de Montréal, 1988.

Lavigueur S. L'insularité des mères: une problématique particulière en intervention familiale. **Rev can psycho-éducation** 1989;18(1):21-41.

Marcotte R. L'intervention familiale auprès des familles «à risques». In: Dansereau S. (Ed). **Axes de recherches en éducation familiale.** Montréal: ACFAS, 1988:95-101.

Mermont J, et al. **Dictionnaire des thérapies familiales.** Paris: Payot, 1987.

Pluymaekers J. (Ed) **Familles, institutions et approche systémique.** Paris: Editions ESF, 1989.

Renou M, Laurendeau R, Lavigueur S. **Le psycho-éducateur communautaire: la recherche d'un paradigme.** [Document de consultation] Hull: Université du Québec à Hull, 1986.

Turnbull SP, Rutherford, Turnbull H. **Families, professionals and exceptionality: a special partnership.** Columbus: Merrill Publ. Co., 1988.

Watzlawick P, Weakland J, Fish R. **Changements: paradoxes et psychothérapie.** Paris: Seuil, 1975.

Le travail avec les familles en centre de réadaptation est en pleine transformation. S'inspirant d'abord d'un modèle monolithique où tout était centré sur l'hébergement, les intervenants doivent apprendre à composer avec toute une gamme de programmes et de services. Devant ce nouveau défi, l'auteur propose des repères méthodologiques aux intervenants dans leur travail avec les familles. Les concepts de demande et d'analyse de la demande, de par leur place stratégique en début de processus, sont particulièrement importants et ouvrent le champ aux autres étapes: reformulation de la demande, mandat et contrat thérapeutique.

DE L'ANALYSE DE LA DEMANDE AU PLAN D'INTERVENTION

Daniel PUSKAS

L'auteur est psycho-éducateur et psychanalyste. Il a longtemps travaillé en centre de réadaptation où il fut chef d'équipe. Il partage maintenant son temps entre la coordination d'un programme de support aux parents et sa pratique privée comme psychanalyste.

Jusqu'à tout récemment, les centres de réadaptation[1] n'offraient qu'un seul type de service: le placement à l'interne ou l'hébergement. Le rapport Batshaw, (1976), la réforme Côté ainsi que les groupes de travail Harvey (1991), Bouchard (1991) et Jasmin (1992) sont venus bouleverser la conception monolithique du C.R. qui s'est transformé en centre de services de réadaptation. En effet, de lieu de séjour qu'il était, son rôle dans la dispensation des services s'est élargi et c'est davantage sa mission de réadaptation qui le caractérise aujourd'hui.

Conformément aux orientations du Ministère de la Santé et des Services Sociaux, la mission d'un centre de réadaptation est d'offrir aux enfants, aux adolescents et à leurs familles qui vivent des difficultés importantes d'adaptation sociale des services spécialisés de réadaptation. Ces services visent la reprise ou la poursuite du développement du jeune et sont offerts à l'interne comme à l'externe. (Cadre de référence sur l'orientation et l'organisation des centres de réadaptation pour jeunes en difficultés d'adaptation 1990).

La problématique

La récente réorganisation des services n'a pas été sans créer des bouleversements dans les milieux et les pratiques, entre autres chez les éducateurs, les psycho-éducateurs et les intervenants du réseau des services sociaux et des autres organismes partenaires, tels les écoles et les centres de loisirs. Cet article se propose d'examiner l'un de ces changements et les résonances qu'il peut avoir sur le travail avec les familles où l'on retrouve, au coeur de cette problématique, la notion d'analyse de la demande qui nous occupera ici.

Certains concepts tendent avec le temps à s'étioler: c'est le cas de l'analyse de la demande. Issu du courant systémique (Onnis, 1984; Perrone, 1986) pour répondre aux problèmes posés par la demande venant de groupes, particulièrement de familles, il est devenu, au Québec à tout le moins, un terme vague, trop centré sur le besoin, avec lequel il finit par se confondre. Au lieu d'analyser une demande, on répond ainsi trop fréquemment à son contenu. Nous tenterons donc de circonscrire une méthodologie d'analyse de la demande en définissant ce concept et en le situant par rapport à ceux de besoin et de désir, puis de poser des jalons qui permettent de l'intégrer dans le travail avec les familles.

Les niveaux d'analyse de la demande

Pour Onnis (1984), la façon de formuler une demande peut dépendre des services offerts. Même si cet auteur distingue trois niveaux possibles d'analyse dans l'élaboration de la demande, c'est le deuxième niveau[2] qui retiendra notre attention. Il concerne *«le conditionnement exercé par l'organisation des services auxquels cette demande s'adresse, et par les prestations qu'habituellement ils offrent.»* (p.343).

La demande est donc formulée en se centrant sur les symptômes, de manière à recevoir un service. En relation avec notre thème, on demandait un placement parce que les C.R. n'offraient que des placements; dans les formulaires officiels, les symptômes étaient présentés par des professionnels habitués aux établissements de services sociaux. Ainsi, pour obtenir un placement et s'assurer que leurs demandes soient reçues, les demandeurs écrivaient que l'enfant ou l'adolescent en question était agressif, violent, faisait des crises, fuguait, refusait l'autorité, etc..

En agissant de cette façon, on reste malheureusement fixé aux symptômes, éludant leur sens et la nature de la souffrance qui s'y trouvent rattachés. Comme nous l'avons nous-même constaté, *«les genres de réponses fournis par les services déterminent et souvent modèlent le type et le contenu de la demande d'aide; cela entraîne des demandes souvent très éloignées des besoins réels et de la véritable souffrance.»* (Puskas, 1989).

Par exemple, un enfant présentera des difficultés de comportement et fera des crises telles que les parents n'arrivent plus à le contenir. Ceux-ci pourront alors formuler une demande de placement, puisque c'est souvent de cette façon que les intervenants répondent à ce genre de détresse. Mais un placement n'est pas une solution, il n'est qu'un moyen. Il faut donc que les intervenants des centres de services de réadaptation arrivent àreformuler ces demandes, afin d'avoir accès aux vrais enjeux, aux vrais problèmes et à la souffrance qui se dessinent derrière le: *«Je veux le placer»*.

Le délégué de la demande

Une personne porte la demande. Perrone (1986) la nomme le délégué de la demande, en distinguant délégué intra-familial et délégué extra-familial. Le premier est une personne de la famille qui, en son nom, demande un service pour elle-même ou pour un autre membre de la famille. Le délégué extra-familial, quant à lui, est une personne non membre qui fait une demande de service, l'important ici étant de savoir si cette personne est déléguée par la famille ou par un autre système.

Dans l'exemple ci-haut, si l'un des parents téléphone, il sera considéré comme un délégue intra-familial; si, au contraire, les problèmes de comportement sont aussi importants à l'école, il est possible que ce soit la praticienne sociale scolaire qui téléphone au C.R. Il importe dans ce cas de charger le délégué extra-familial *«d'une tâche qui l'oblige à retourner vers la famille afin d'opérer, parler, négocier, échanger, introduire un nouveau mouvement pour que le système client puisse prendre contact de lui-même avec le système thérapeutique»* (Perrone, 1986, p.28).

Mais on pourra rétorquer ici: *«Que faites-vous du contexte légal?»* Il est possible de situer ces notions de délégués de la demande à l'intérieur du cadre légal. Selon notre législation, il existe quatre portes d'entrée pour obtenir des services en C.R.:

- L-SSSS: en vertu de cette loi, les parents peuvent demander directement de l'aide aux établissements de santé et des services sociaux;
- L.P.J. mesures volontaires, les parents reconnaissent la situation de compromission et acceptent, dans ce contexte, de l'aide;
- L.P.J. ordonnance du tribunal de la jeunesse: le juge ordonne aux parents de participer activement à l'application de certaines mesures qui ont pour but de corriger la situation de compromission;
- Loi sur les jeunes contrevenants: à cause de sa situation particulière, il n'en sera pas question dans ce travail.

Si la première porte d'entrée relève clairement de la modalité du délégué de la demande intra-familial, dans les deux autres cas, c'est l'Etat, par l'intermédiaire des mécanismes de la Loi sur la protection de la Jeunesse, qui est le demandeur. Cependant, le législateur a pris soin d'affirmer formellement la responsabilité première des parents sur leur enfant, et les obligations s'y rattachant (Code civil, art. 646 et 647). Aussi, le législateur parlera de délégation volontaire et de délégation judiciaire. Dans ce dernier cas, le tribunal ne suspend pas les droits et devoirs des parents; il amène plutôt ces derniers à exercer leur autorité en respectant les dispositions de l'ordonnance.

Dans tous les cas, en effet, au sens des Lois L-SSSS et L.P.J., c'est toujours le parent qui demande ou devrait demander. Dans le cas d'une situation L.P.J., le D.P.J. doit veiller au respect des mesures volontaires ou de l'ordonnance, les parents demeurant les premiers responsables de leur enfant. D'un point de vue légal ausi bien que pour des motifs cliniques, il importe donc que ce soit un délégué intra-familial qui formule une demande au C.R., cette manoeuvre ayant pour but de rendre *«à la famille l'initiative qu'elle avait déléguée pour organiser une relation de changement.»* (Perrone, 1986, p. 28).

Lorsqu'il est question de famille et de parents, il devrait aller de soi que le père y occupe une place. Notre expérience nous oblige pourtant à constater que celui-ci est souvent écarté du processus de demande d'aide et, par conséquent, du travail auprès des parents. Nous avons analysé ailleurs[3] le mouvement social qui a eu pour conséquence une dévalorisation et une disqualification du père. Or, depuis 1980, avec la parution du Livre de la Famille du nouveau code civil du Québec, il est devenu obligatoire d'impliquer les deux parents qui, quelles que soient leurs circonstances de vie, *«... doivent être informés, consultés et impliqués dans les mesures prises à l'endroit de leur enfant»*. Cette obligation engage évidemment les intervenants. L'expérience et le sens commun enseignent que le fait de faire appel au père, dès le début du processus, renforce d'autant les chances qu'il s'implique. On sait que sa présence lors des premières rencontres apporte non seulement plus d'informations mais qu'elle peut dévoiler aussi d'autres enjeux.

Demande et diagnostic

Selon l'approche systémique, semblable en ceci à l'approche médicale, le symptôme est la voie royale qui guide le professionnel devant la demande faite par le patient. Il est l'indice d'une crise et c'est en partant du symptôme que le médecin, aidé par des tests, posera un diagnostic et prescrira un traitement. Lorsqu'un placement était demandé en C.R., il y a quelques années, les éducateurs et les psycho-éducateurs devaient d'abord accepter le placement et poser seulement ensuite leur diagnostic. Les intervenants des C.R. auraient eu grand intérêt à s'inspirer, dans ce cas, du modèle médical. En effet, que répondrait le médecin à un patient qui lui demanderait une hospitalisation? Que se passerait-il si les médecins donnaient au patient le médicament que ce dernier dit être le bon?

La demande

Il fut un temps où une partie de la formation en psycho-éducation était dominée par ce principe: ne pas répondre au contenu. Dans la pratique, l'essentiel de l'art du psycho-éducateur se déploie en effet dans ce que Gendreau (1978) appelle l'utilisation. En ce sens, ne pas répondre au contenu, c'est dépasser le niveau premier ou phénoménologique de la demande, dépasser le niveau du comment on organise, comment on anime, pour tenter d'abord d'en comprendre le sens. L'éducateur doit donc être attentif à la dimension de l'utilisation[4]. Accepter d'héberger un jeune sans questionner revient à répondre au contenu: la crise = un placement. L'intervenant devra s'arrêter pour comprendre le sens et considérer la généalogie des difficultés.

L'approche systémique, quant à elle, recadre les symptômes en termes interactionnels. A propos de la demande, Bateson affirme: *«La demande n'existe pas comme donnée a priori... elle s'organise et se définit à l'intérieur d'une relation»*. (in Onnis, 1984, p.344). C'est ce qui permet à Onnis (1984) de soutenir que l'intervenant doit créer un espace direct de communication avec la famille: *«C'est à l'intérieur de cette rencontre, où demande et réponse interagissent circulairement, que la demande va prendre forme et que la réponse va modeler la demande»*. (p. 343).

Prenons le cas de Mme C. qui, avec sa praticienne sociale, adresse une demande de placement au C.R. pour son fils âgé de dix ans. Le garçon présente des troubles de comportement; il fait des crises, s'oppose.

Il est l'unique enfant issu d'une relation instable et tumultueuse. Les parents se sont séparés plusieurs fois. Le père disparait sans donner de nouvelles à son enfant. La mère utilise les besoins de son fils pour faire du chantage auprès de son conjoint. A chaque départ du père, la mère amène son fils coucher dans son lit. L'enfant veut tout contrôler, la mère le décrit comme dominateur, *«comme son père»*, ajoute-t-elle. Lorsqu'il est frustré, le garçon fait des crises, menace de fuguer, jusqu'à ce qu'il obtienne gain de cause. A chaque retour du père, les difficultés de comportement de l'enfant s'amplifient; il brave de plus en plus ouvertement l'autorité paternelle.

La demande de placement survient alors que le père dit vouloir refaire sa vie avec une autre femme. Depuis un an, il semble vivre une relation stable avec sa nouvelle conjointe. Le couple attend un bébé. Le garçon qui nous intéresse, ainsi que sa mère, viennent d'apprendre la nouvelle. Dans sa demande de placement, la mère arguera de son épuisement et de sa crainte des crises de plus en plus violentes de son fils qui, à dix ans, devient plus costaud.

Devant les symptômes décrits, l'éducateur tentera d'en apprécier la portée: pourquoi, par exemple, l'enfant s'oppose-t-il? comment surgissent ses crises, quels événements les précèdent ou les déclenchent? Il insistera aussi pour poser clairement que les difficultés concernent tous les membres de la famille: le symptôme parle d'une dynamique familiale.

Cette manoeuvre vise un double but: ne pas placer le garçon dans un rôle de bouc émissaire et d'autre part, impliquer le reste de la famille. L'intervenant établit ainsi de façon ferme que ce n'est pas l'enfant mais la situation qu'il s'agit de changer. Par ailleurs, la demande que cette mère formule s'adresse à un autre imaginaire, c'est-à-dire qu'en demandant, elle a déjà imaginé des solutions virtuelles. L'intervenant demandera donc à cette mère de parler de ses attentes, de ce qu'elle avait imaginé.

Nous nous reportons ici au courant psychanalytique et à Lacan, plus particulièrement, qui a su conceptualiser la demande et l'articuler avec les notions de besoin et de désir. *«Le besoin porte sur un objet spécifique, et s'en satisfait. La demande est formulée et s'adresse à autrui; si elle porte sur un objet, celui-ci est pour elle inessentiel, la demande articulée étant en son fond demande d'amour. Le désir naît de l'écart entre le besoin et la demande, il est irréductible au besoin, car il n'est pas dans son principe relation à un objet réel, indépendant du sujet, mais au fantasme»*. (Laplanche et Pontalis, 1976,p.122)

Le désir est captif du langage, et de ce fait, il doit se faire demande. En d'autres termes, parler, c'est en quelque sorte demander, et demander c'est désirer, car le désir exige d'être reconnu par l'autre sur le plan de la parole. Dans la technique psychanalytique, cela entraîne des conséquences: il faut frustrer la demande - qui est demande d'amour - pour que le désir émerge et puisse ainsi être parlé et élaboré. Ceci exige la création d'un espace de travail, espace psychique, celui-là, où le faire se trouve remplacé par le penser. On sait aussi que, dans le cours du travail, pourra éventuellement se constituer dans la relation entre patient et thérapeute un espace pour la fantaisie, une aire de jeu, au sens de Winnicott.

Le besoin porte sur un objet et s'en satisfait. Si l'on réfère aux besoins d'un toit, de nourriture et de vêtements, il est évident que la réponse à ces besoins ne relève pas d'un mandat de réadaptation. Ainsi, Mme C. insistera pour dire que son garçon a besoin d'une poigne solide. Que représente la demande de cette mère? Elle ne le sait probablement pas vraiment. Il serait donc aliénant que l'intervenant y réponde en s'arrêtant à son contenu. Mme C. et les autres membres de la famille seront plutôt invités à parler de ce qui les amène, le symptôme du garçon pouvant être entendu comme demande.

L'intervenant pourra par suite émettre des hypothèses en fonction du matériel obtenu: par exemple, ce garçon fait des crises pour vérifier si sa mère le rejettera, en fait, son symptôme parle d'une demande d'amour: m'aimes-tu, même si parfois je me sens méchant? Ton amour est-il conditionnel à ce que je fais ou ne fais pas? En procédant ainsi, l'intervenant tente de recadrer la demande en termes interactionnels. La mère aime-t-elle son fils? Pourquoi ce fils ne se sent-il pas aimé par sa mère? Existe-t-il un problème de rivalité avec son demi-frère plus jeune, problème rattaché au fait que le père de ce dernier est présent? Le garçon se sent-il abandonné par son propre père qui, lui, est absent? Tout cela a-t-il déjà été parlé?

Ne pas répondre au contenu et recadrer la demande en tenant compte des enjeux interactionnels permet d'introduire la notion de désir, qui doit être parlé et reconnu par la parole, dans la mesure où il est lié au fantasme. Il sera d'une importance primordiale, avant et pendant le placement, de prévoir des temps de rencontres où seront parlés les désirs de chacun des membres de la famille, en commençant par le principal intéressé: l'enfant placé. Que veut-il? Allons-nous le placer sans l'écouter? Sans lui demander son opinion sur ce qui se passe? Elargissant notre questionnement, nous nous demanderons: comment la mère a-t-elle réagi en apprenant la nouvelle de la grossesse de la compagne de son ex-conjoint? Comment le garçon a-t-il réagi? Ses crises nous renseignent-elles sur sa peur de perdre son père? Peur de perdre sa place? Sa mère, qui le traîne dans son lit, le traite-t-elle en bébé ou en amant? La demande de placement de cette mère est-elle une tentative de perpétuer le conflit avec le père? Utilise-t-elle les besoins de son fils pour continuer le chantage envers son ex-conjoint? Ou plutôt, vit-elle cette nouvelle comme un abandon? Quelles sont les intentions du père pour son fils, veut-il s'impliquer d'une façon stable? Dans cette situation, quels seraient les besoins du garçon, quel est son désir?

Toutes ces questions permettent de voir les difficultés de cette tâche qu'est la réadaptation, surtout si l'intervenant ne s'en tient qu'au contenu, sans recadrer la demande en termes interactionnels. Si la demande et le désir ne sont pas parlés, le placement court irrémédiablement vers un échec, car il s'installera entre la demande imaginaire et le service offert dans la réalité un écart de plus en plus grand, qui ne peut être travaillé et comblé que par le langage.

Ces trois courants de pensée se recoupent donc en certains points. En effet, la demande ne saurait être prise isolément; elle s'adresse toujours à quelqu'un d'autre. Qu'elle porte sur un objet ou un service, l'intervenant ne doit pas répondre à son contenu mais constituer plutôt un espace psychique à l'intérieur duquel elle puisse circuler, les interactions soulevant à la fois des frustrations en même temps qu'elles apportent des tentatives de réponses, ce qui permet l'émergence du désir.

L'intervenant ne doit en aucun temps répondre aux demandes d'amour qui lui sont adressées par les personnes qui viennent le consulter. On sait par ailleurs que les intervenants en C.R., et c'est là une difficulté particulière à leur position, sont amenés à intervenir sur les trois plans des besoins, des demandes et des désirs. Trop souvent, ils sont pris au piège de répondre à des besoins, tels que nourrir, habiller, etc., à tel point qu'ils négligent les deux autres dimensions de leur travail, soit la demande et le désir.

L'écoute

Jusqu'à présent, nous avons mis l'accent sur l'écoute synchronique de la demande mais une écoute diachronique peut être également fort utile. En ce sens, l'utilisation du génogramme, tel que développé par Sylvana Montagano (1990), s'avère un outil des plus féconds. Il ne s'agit plus seulement d'identifier un problème dans le hic et nunc mais d'en considérer l'historicité en faisant intervenir au moins trois générations. Il peut être important de faire l'histoire des demandes d'aide faites par la famille, ce qui permettra au système thérapeutique de se situer par rapport à ce qui a déjà été offert et expérimenté par la famille. Souvent, on s'apercevra que les solutions proposées ont fait plus de mal que de bien. Ce retour en arrière dans son histoire amènera aussi possiblement la famille à s'arrêter et faire par elle-même et pour elle-même un bilan.[5] Ce sera l'occasion pour elle de s'approprier davantage sa demande, et pour le système thérapeutique, de proposer quelque chose de neuf. Ce n'est qu'après cette évaluation que les intervenants seront à même de reformuler la demande.

En reprenant l'exemple de cette mère qui demande que l'on place son fils, les intervenants apprendront à l'aide du génogramme de Montagano, que la mère a été elle-même placée au cours de son adolescence et que sa propre mère avait été recueillie par les religieuses d'un orphelinat, alors qu'elle était bébé. Le concept de compulsion de répétition qui pousse les gens à répéter leur histoire peut aussi être utilisé, en considérant les lignées générationnelles. Dans ce cas, si le garçon est placé, il risquera de répéter l'histoire de la mère plutôt que de la symboliser. Si, au contraire, cette mère prend conscience de la répétition qui se joue à son insu dans son histoire, on peut penser que, même s'il y a placement, le sens qu'il prendra pour ce garçon et sa famille sera radicalement différent et le circuit fermé de la répétition compulsive pourra s'en trouver brisé.

Précisons que la prise de conscience dont il est question n'est pas simplement un processus intellectuel de connaissance. Elle nécessite du temps et un travail de perlaboration. Dans ce cas-ci, la mère, après un long travail d'accompagnement clinique, réalisa combien elle avait, au cours de sa vie, ressenti un grand vide par rapport à son propre père. Beaucoup d'émotions surgirent lorsqu'elle prit conscience qu'elle enviait son fils d'avoir un père, ce qui la renvoyait à son propre désir pour son père, désir jamais reconnu et toujours frustré.

Reformulation de la demande, mandat et contrat

La reformulation de la demande consiste en une redéfinition du problème en termes de difficultés interactionnelles dans lesquelles tous sont engagés et qui ont une histoire. Une telle reformulation scelle habituellement une alliance thérapeutique: «Nous allons travailler sur ce qui se passe entre vous». Personne ici n'est blâmé ou pointé du doigt; le travail porte sur une situation et non sur un individu, les intervenants ayant pour objectif d'impliquer tous les membres de la famille dans le travail.

Une fois cette étape franchie, il s'agira de délimiter le mandat de travail. Le Ministère de la Santé et des Services Sociaux, dans son Cadre de référence sur l'orientation et l'organisation des centres pour jeunes en difficulté, définit l'intervention de réadaptation de la façon suivante:

> *« Au cours de cette période de vie de l'enfance et de l'adolescence, plusieurs problèmes peuvent surgir chez le jeune lui-même ou dans son milieu: crises, conflits, lacunes du milieu, etc.. Il convient donc, dans un premier temps, de bien circonscrire à quelles difficultés, à quel ordre de problèmes s'adresse l'intervention de réadaptation. Dans un deuxième temps, il faut en saisir le sens, en connaître la finalité, c'est-à-dire ce vers quoi elle tend, ainsi que les objectifs qui s'y rattachent. Dans un troisième temps, il convient de la décrire, dire ce qu'elle est et d'en présenter les caractéristiques spécifiques.*
>
> *C'est à partir de la compréhension de l'ensemble de ces dimensions qu'il devient possible de dégager une conception de la réadaptation, appropriée aux besoins du jeune (p. 11).*

L'objectif de réadaptation doit s'adapter aux finalités des lois sur les services sociaux et de la LPJ. A l'intérieur de ce vaste mandat social, l'éducateur devra, en tenant compte des systèmes demandeurs, arriver à cerner un mandat de travail. Le mandat, c'est *«l'acte (contrat unilatéral) par lequel une personne donne à une autre le pouvoir de faire quelque chose pour le mandant et en son nom»* (Le Petit Robert). On sait que le mandat qui est confié au C.R. est souvent implicite; le rendre explicite est l'une des tâches les plus importantes au cours du processus de l'analyse de la demande.

Par exemple, les difficultés de comportement du garçon surgissent au moment où les parents se séparent. Le mandat implicite devient plus explicite. Même si les parents se séparent, il est important de leur faire voir que leur fils est au milieu de leur conflit, qu'il faut le libérer de cette position, et leur demander de s'entendre sur les besoins de leur fils. A ce moment, l'intervenant évite de prendre plusieurs mandats à la fois: régler les problèmes conjugaux, les problèmes d'alcool du père, la dépression de la mère, la panique de l'école... (Puskas, 1989)

Dans ce cas-ci, l'explicitation a permis la structuration d'un mandat de travail clair. Avec les deux parents, il a été convenu de travailler uniquement sur la cohérence de leurs propres attitudes parentales. Ce cas est décrit ailleurs de façon plus détaillée (Puskas, 1989).

Demande et plan d'intervention

Le mandat conduit à délimiter avec la famille les paramètres de l'intervention. La loi 120 affirme en ce sens certains principes: tout usager a le droit de participer à l'élaboration de son plan d'intervention (art. 10), lequel identifie ses besoins, les objectifs poursuivis, les moyens utilisés et la durée prévisible des services qui devront lui être fournis (art. 102).

Nous suggérons d'utiliser cette notion de plan d'intervention de façon rigoureuse, à savoir comme un contrat de travail, i.e. une convention (au sens du code civil) ou une entente à partir de laquelle les personnes concernées travaillent dans un temps, un espace et selon des règles définis qui régissent la situation, ici, le plan d'intervention.

Prenons par exemple le cas d'une famille qui s'entend avec un intervenant sur un plan d'intervention, mais qui manque régulièrement ses rendez-vous. Si l'intervenant accorde au plan d'intervention une valeur de contrat, il reprendra avec eux les modalités, avant même de parler des objectifs sur lesquels ils s'étaient entendus. Que signifie alors leurs absences aux rendez-vous? S'agit-il d'un manque de motivation, d'une résistance ou encore d'opposition passive devant le caractère obligatoire (L.P.J) ou contraignant de la mesure?

Des années d'expérience nous amènent à formuler les recommandations suivantes en ce qui a trait aux contrats. Deux ou au maximum trois rencontres devraient être réservées à l'évaluation, et il devrait être clairement dit à la famille qu'aucune décision ne sera prise au cours de cette période. Il est important que les demandeurs élaborent leurs demandes et que les intervenants se gardent d'une décision trop rapide qui leur lierait ensuite les mains. Trois rencontres représentent cependant un maximum, car la famille désire des choses concrètes, et généralement, elle se lasse assez vite de se déplacer ou de recevoir chez elle les intervenants, si rien de précis ne se dégage.

Les intervenants, dès la rencontre initiale, disent explicitement à la famille le but de ces quelques rencontres qui pourront être utilisées pour émettre des hypothèses de travail. Après cette évaluation, un plan d'intervention sera proposé à la famille. L'expérience encore ici suggère la prudence. Généralement, on propose une série de 10 rencontres axées sur des objectifs clairs, tout en fixant un lieu, (soit à domicile, ou à l'établissement ou un mélange des deux, l'important étant que de bonnes raisons aient conduit à ce choix), un temps, préférablement fixe, ce qui évite la confusion, et une fréquence, d'habitude hebdomadaire, qui permet un suivi plus intensif et évite que les objectifs de travail n'aient le temps de s'affadir.

Après cette série de rencontres, un bilan est présenté par l'intervenant qui, à cette étape, peut se faire assister par des collègues. Il s'agit d'établir si l'espace, le temps, la fréquence ont été respectés et l'objectif atteint. Selon le bilan fait avec la famille, un autre plan d'intervention peut alors être proposé qui poursuivra, soit le même objectif, soit un autre, car souvent, de nouveaux éléments seront apparus lors des rencontres, et ainsi, l'intervenant pourra être amené à travailler avec un sous-système, ou encore avec un seul membre de la famille.

Conclusion

Il n'est pas facile de baliser un travail de réadaptation auprès des jeunes dans le vaste contexte du réseau des établissements des services sociaux. Disons simplement ici que plus le processus d'analyse de la demande sera clairement défini, plus l'intervention devrait s'en trouver facilitée, puisque cette analyse est en quelque sorte l'assise sur laquelle la famille et l'intervenant s'appuieront dans la suite de l'intervention.

Si une pratique aussi complexe et remplie de pièges parvient à s'appuyer sur de sérieux repères méthodologiques, les familles et les enfants que les intervenants côtoient quotidiennement ne pourront qu'en profiter et se retrouver ainsi dans un monde plus humain où la relation prendra le pas sur les services, où les désirs ne seront plus aliénés ou confondus avec les besoins. *«Ne donne pas un poisson à celui qui a faim,* suggère un dicton chinois, *apprends-lui plutôt à pêcher».* ❖

The traditional model of intervention used by our readaptation centers is fastly changing. From a sole program of internship, child care workers have now at their disposition different and many services to offer to parents and children. In the light of these changes, the author proposes methodological guidelines to help child care workers qualify these new services. The concept of demand and its analysis are reviewed because of their importance in the process of offering the right service. They should also lead to the further steps of reformulation of demand, mandate and therapeutic contract.

Références

Centre de réadaptation La Clairière. **Plan d'organisation.** 1990 Code civil du Québec.

Gendreau G. **L'intervention psycho-éducative: solution ou défi?** Paris: Fleurus, 1978.

Gouvernement du Québec. **Le cadre de référence sur l'orientation et l'organisation des centres de réadaptation pour jeunes en difficultés d'adaptation.** Québec: Ministère de la santé et des services sociaux, mai 1990.

Laplanche J, Pontalis JB. **Vocabulaire de la psychanalyse.** Paris: P.U.F., 1976.

Onnis L. Le «système demande»: la formation de la demande d'aide selon une perspective systémique. **Thérapie familiale** 1984;5:341-348.

Perrone R. La demande en thérapie familiale: comment s'y prendre. **Rev can psycho-éducation** 1986;15:24-29.

Puskas D. Le service d'intervention dans le milieu (S.I.M.) du Centre d'accueil La Clairière: présentation d'un modèle d'intervention. **Rev can psycho-éducation** 1989;18(2):123-134.

Richelieu G, Boulay D, Brien M, Lacourse G, Roy A. **Pour une conception clinique des rencontres d'accompagnements**. Montréal: Centre d'Orientation et de Réadaptation de Montréal / Centre de Réadaptation La Clairière, 1993.

Notes

1. Nous désignerons à présent les centres de réadaptation par le sigle C.R.
2. Pour le premier et le troisième niveau voir Onnis (1984) et Puskas (1989) où ce dernier explicite les trois niveaux dans un contexte de réadaptation à l'externe.
3. LE PERE-LOI, conférence inédite présentée à l'A.P.P.Q. (Association des psychothérapeutes psychanalytiques du Québec) , au C.R. le Mainbourg et au C.R. La Clairière.
4. Voir à cet effet l'élaboration qu'en ont fait Richelieu et al., 1993.
5. Cette dernière idée m'a été communiquée par Raymond Labelle du C.R. le Mainbourg.

Boisvert, G., *Enfin dehors !*, 1991

L'enfant reconstitué

Nous proposons ici à nos lecteurs quelques extraits tirés d'un des deux livres de Bruno Roy qui paraîtront bientôt, et qui correspondent aux deux dimensions de l'écrivain: le privé (les poèmes) et le public (le plaidoyer). Le recueil de poésie intitulé ***«Les racines de l'ombre»*** *explore les thèmes de l'abandon, de l'anonymat et des origines, alors que* ***«Mémoire d'asile»*** *est un livre engagé qui prend parti dans le débat actuel concernant le recours collectif des Orphelins de Duplessis. D'être devenu écrivain, de présider l'Union des écrivains québécois et d'avoir obtenu un doctorat en littérature, ne doivent pas justifier, selon l'auteur, le système d'enfermement illégal dans lequel les autorités religieuses, médicales et gouvernementales nous ont maintenus.*

Bruno ROY

Essayiste et poète, Bruno Roy est président de l'Union des écrivaines et écrivains québécois. Il enseigne au Collège André-Laurendeau et est chargé de cours à l'UQAM. En plus d'avoir publié de nombreux textes d'opinion et de la poésie, il participe activement à divers mouvements engagés dans la réflexion sur la culture et l'avenir du Québec.

Je n'avais pas revu Jacqueline Normandin depuis 30 ans. Vivante comme le souvenir que j'en avais gardé. Femme moderne pour son époque avec au coeur le clin d'oeil qu'il faut pour avancer dans la vie. Elle était infirmière et m'avait connu au Mont-Providence. Nous étions en 1951.

Je l'avais totalement séduite, me disait-elle. Dans la grande cour où nous jouions, je l'avais aperçue avec son imperméable glacé jaune, les mains dans les poches. Je m'approchai d'elle, glissai mes bras autour de sa taille et dis àcelle que je voyais pour la première fois: *«Quand est-ce que tu vas me sortir chez toi?»*. Le récit est attendrissant. Je me plairais moi-même à l'inventer comme un film.

Avec ses biscuits Whippets et un grand verre de lait, Mademoiselle Jacqueline m'avait préparé le plus beau des souvenirs. J'étais dans sa maison familiale, 65e rue ou avenue à Rivière-des-Prairies. Le souvenir est précis. La maison était intime. Délaissant l'anonymat institutionnel, voici que j'avais droit à des égards particuliers. C'était avant de me coucher. Le rituel s'installa pour mon grand plaisir. Whippets de rêve avant de m'endormir!

Ce premier soir, Mademoiselle Jacqueline remonta mes draps jusqu'à mon cou, laissant mes bras sous les couvertures. Je lui fis cette remarque: *«Tu sais, au Mont-Providence, les soeurs ne veulent pas qu'on garde les bras en d'sous des couvertes».* J'avais huit ans. J'étais naïf comme un orphelin à qui on ne faisait pas de mal. J'étais un prince à qui on accordait de l'importance. J'aimais les Whippets, le lait et ma chambre tapissée d'intimité.

Jacqueline cherche dans les photos qu'elle a décidé de me donner les souvenirs heureux de mon séjour dans sa famille. Je n'étais pas exigeant et j'étais beau comme un coeur, ne cessait-elle de me répéter.

Un dimanche soir, son père m'amena prendre une marche. J'en revins tout revigoré de santé, avec une boîte de crayons Prismacolor. La satisfaction qui se lisait sur mes yeux charriait le plus total bonheur qu'on puisse attendre. J'écoute Jacqueline me raconter cette anecdote et je prends plaisir à m'imaginer dans cet état de grâce dont je devais m'accommoder avec le plus grand bien.

- *«Pourquoi ne m'a-t-on jamais adopté?»*, lui demandai-je soudainement.

- *«J'avais fait des démarches»*, rétorqua Jacqueline. *«Soeur Gilberte m'avait alors informée que ta mère n'avait jamais signé les papiers d'adoption».*

Voici que, soudainement contre ma propre histoire, le seul geste que je connaisse de ma mère, c'est son refus de m'abandonner. J'en ressens rapidement, comme envahi par un grand réconfort, un bien-être profond. J'aime l'impulsivité et l'imprévisibilité de cette idée. Je décide intérieurement qu'il en est ainsi: je sais d'où je tiens mon entêtement de la vie. Dès mes premiers pas, malgré les apparences, j'avais basculé dans une aventure d'amour.

◊◊◊

Je me suis rendu à la fête de Noël des anciens du Mont-Providence. Jacqueline Normandin m'accompagnait. Nombre de visages aux traits usés trahissaient la fatigue institutionnelle. Les retrouvailles avaient une atmosphère de salle surveillée. J'ai en commun avec eux les lieux de coeur d'une enfance collective. Les «enfants de Duplessis» que nous étions avions été déclarés déficients mentaux. Nous avions constitué une main d'oeuvre docile. Ah! cette pauvreté dans leurs yeux blessés, quelle impitoyable condition humaine. Condition à laquelle j'ai échappé par je ne sais quel privilège humain.

Certains visages m'ont réjoui; des visages marqués mais en même temps satisfaits de leur débrouillardise extraordinaire. Des héros réels et anonymes. Ils portent en eux une «exigence d'ordre» qui n'a rien de facile. Chaque instant fut un combat contre leur propre anonymat, cette première blessure de leur enfance close. Parce que ce qui a été nié, c'est leur identité profonde. Se remet-on de cette blessure originelle? Comment quitter son propre hasard quand le destin lui-même n'en est que le fruit?

◊◊◊

Mes amours anonymes furent les seules concrètes. Elles ont constitué l'humus de ma vie d'enfant institutionna lisé. À l'extérieur de moi, par je ne sais quelle quête, on reconstitue mon enfance. Quel destin me rattrape? Quelle histoire cherche son expansion bouillonnante? Quelle peine puis-je avoir en apprenant les circonstances de mes abandons? Quelles significations puis-je leur donner ou leur retirer? Sont-elles nécessaires à mon identité présente?

Ma reconstitution affective passe par la rencontre de personnes qui m'ont jadis, enfant, chouchouté. Quel enfant étais-je et pourquoi me différenciais-je tant des autres? Je reste un «enfant reconstitué» dont l'énigme du «blackout» n'est pas résolue. Le bonheur est-il indissociable de la mémoire heureuse? L'oubli fut-il ma stratégie personnelle de bonheur pour contrer le chaos de mon coeur? Ai-je vraiment le goût de mon enfance?

Je retourne à la seule enfance qui habite mon imaginaire. N'a-t-elle pas, jusqu'ici, façonné l'homme que je suis devenu? N'a-t-elle pas ramassé ce que l'écriture, seule complice, arrive à exprimer de plus vrai?

Ces fragments imaginaires d'une enfance revisitée, je les assemble dans le plus parfait anonymat de mon nom. Diable! De quelle invention suis-je né?

Boisvert, G., *Mémoire des temps perdus*, 1991

UN PROJET COLLECTIF AU SERVICE DES JEUNES

et des familles en difficulté

Les Centres jeunesse de Montréal

André HUBERDEAU
Luc M. MALO

Les auteurs sont respectivement président et directeur général des Centres jeunesse de Montréal.

Les défis de la réforme

L'adoption du projet de Loi 120 a mis en marche le processus d'actualisation de la réforme du système de santé et de services sociaux du Québec. Cette réforme «est une entreprise d'envergure, en raison des objectifs qu'elle poursuit aussi bien que des modifications qu'elle entraîne sur le plan de l'organisation et du fonctionnement de ce système»[1].

La réorganisation du réseau commandée par la réforme, notamment dans le domaine des services sociaux, amènera au cours des mois et des années à venir l'adoption de nouvelles pratiques, l'évolution des mentalités et des valeurs, et elle facilitera la poursuite de nouveaux objectifs. C'est ainsi que, dès l'adoption de la loi, des nouvelles mesures ont été introduites (ex. le Plan d'action jeunesse) dans le but d'améliorer les services offerts notamment aux jeunes en difficulté et aux personnes âgées ou handicapées.

De façon plus spécifique, la réforme nous invite à relever plusieurs défis majeurs[2]:

. Orienter les services en fonction d'objectifs précis et mesurables, en accord avec la politique de Santé et Bien-être;

. Situer les clients au centre de l'intervention;

- Développer au maximum le potentiel des ressources humaines qui constitue le plus grand atout du réseau;

- Etablir un partenariat plus efficace entre les établissements ainsi qu'avec les autres acteurs sociaux oeuvrant dans le domaine, soit à l'intérieur du réseau, soit ailleurs;

- Adapter les programmes et les services en fonction des clientèles et des besoins qui caractérisent une région donnée (régionalisation).

Le regroupement «Les Centres jeunesse de Montréal»

La réforme des services de santé et des services sociaux s'adressant à la jeunesse en difficulté s'est concrétisée à Montréal, au plan administratif, par le regroupement de 12 établissements qui constituent maintenant Les Centres jeunesse de Montréal[3] desservant les clientèles francophone et allophone de l'Ile de Montréal. Les Centres jeunesse de Montréal, organisation offrant des services psychosociaux et de réadaptation, est formée d'établissements francophones qui, selon la loi, ont des missions précises et sont régis par un conseil d'administration unifié et une direction générale unique, lesquels sont en place depuis l'automne 1992.

L'action des Centres jeunesse de Montréal se situe en deuxième ligne et doit être considérée comme une intervention sociale spécialisée. Les Centres locaux de services communautaires (CLSC) sont maintenant la porte d'entrée du réseau des services sociaux et de santé pour la population en général, et leur action se situe donc en première ligne.

L'organisation réunit sous un même conseil d'administration les 12 établissements suivants: le Centre de protection de l'enfance et de la jeunesse et les centres de réadaptation pour jeunes en difficulté d'adaptation que sont Boscoville, le Carrefour des jeunes de Montréal, la Cité des Prairies, la Clairière, Dominique-Savio-Mainbourg, Habitat Soleil, Marie-Vincent, Mont St-Antoine, Rose-Virginie Pelletier, Villa Notre-Dame-de-Grâce, de même que Rosalie-Jetté, un centre pour mères en difficulté d'adaptation. Le tableau I permet de mieux saisir la réalité de cette nouvelle organisation.

Si Les Centres jeunesse de Montréal représente de grands défis au plan administratif, il en présente également de très importants au niveau professionnel, soit au plan des services à offrir aux enfants, aux jeunes ou aux mères en difficulté et/ou à leur famille. A cet égard, le regroupement offre des opportunités de réaliser des synergies créatrices, étant donné le nombre, la diversité, l'expérience et l'expertise des professionnels maintenant réunis. En fait, l'organisation Les Centres jeunesse de Montréal réunit un personnel de près de 3,000 personnes et dispose d'un budget de plus de 146 millions de dollars.

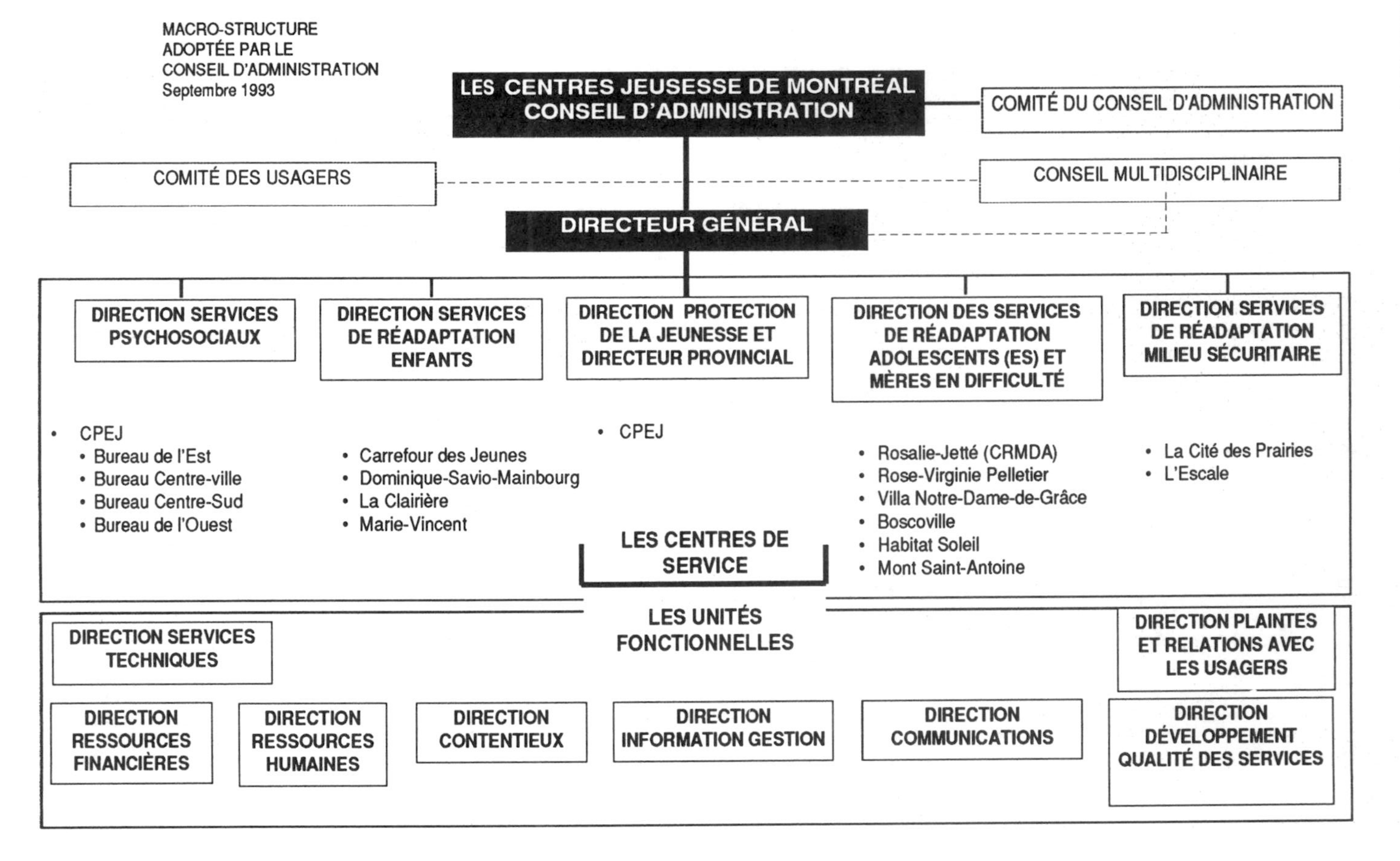

MACRO-STRUCTURE
ADOPTÉE PAR LE
CONSEIL D'ADMINISTRATION
Septembre 1993
LES CENTRES JEUSESSE DE MONTRÉAL
CONSEIL D'ADMINISTRATION
COMITÉ DU CONSEIL D'ADMINISTRATION
COMITÉ DES USAGERS
CONSEIL MULTIDISCIPLINAIRE
DIRECTEUR GÉNÉRAL
DIRECTION SERVICES PSYCHOSOCIAUX
DIRECTION SERVICES DE RÉADAPTATION ENFANTS
DIRECTION PROTECTION DE LA JEUNESSE ET DIRECTEUR PROVINCIAL
DIRECTION DES SERVICES DE RÉADAPTATION ADOLESCENTS (ES) ET MÈRES EN DIFFICULTÉ
DIRECTION SERVICES DE RÉADAPTATION MILIEU SÉCURITAIRE
• CPEJ
• Bureau de l'Est
• Bureau Centre-ville
• Bureau Centre-Sud
• Bureau de l'Ouest
• Carrefour des Jeunes
• Dominique-Savio-Mainbourg
• La Clairière
• Marie-Vincent
• CPEJ
• Rosalie-Jetté (CRMDA)
• Rose-Virginie Pelletier
• Villa Notre-Dame-de-Grâce
• Boscoville
• Habitat Soleil
• Mont Saint-Antoine
• La Cité des Prairies
• L'Escale
LES CENTRES DE SERVICE
LES UNITÉS FONCTIONNELLES
DIRECTION SERVICES TECHNIQUES
DIRECTION PLAINTES ET RELATIONS AVEC LES USAGERS
DIRECTION RESSOURCES FINANCIÈRES
DIRECTION RESSOURCES HUMAINES
DIRECTION CONTENTIEUX
DIRECTION INFORMATION GESTION
DIRECTION COMMUNICATIONS
DIRECTION DÉVELOPPEMENT QUALITÉ DES SERVICES

Il est important de souligner que Les Centres jeunesse de Montréal évolue dans un contexte fortement urbain et multi-ethnique où se côtoient différentes problématiques importantes, telles la coexistence de diverses cultures et ethnies, le chômage, la pauvreté, la violence, la prostitution, la toxicomanie, l'itinérance, la monoparentalité, la solitude, le décrochage scolaire et le suicide. Compte tenu de cette situation, il n'est pas étonnant de voir que les centres du regroupement interviennent sur une base annuelle auprès de plus de 15,000 enfants, adolescents, ou mères en difficulté. Par son action, Les Centres jeunesse de Montréal se situe au carrefour de différents réseaux, dont ceux de la justice, de la santé et de l'école, pour n'en nommer que quelques-uns.

Sa mission

Les Centres jeunesse de Montréal actualise les missions particulières du Centre de protection de l'enfance et de la jeunesse et des Centres de réadaptation pour jeunes ou mères en difficulté d'adaptation. Ces missions sont ainsi définies dans la Loi sur les services de santé et les services sociaux (chap. 42):

. *La mission d'un centre de protection de l'enfance et de la jeunesse (art, 82):*

> *«La mission d'un centre de protection de l'enfance et de la jeunesse est d'offrir dans la région des services de nature psychosociale, y compris des services d'urgence sociale, requis par la situation d'un jeune en vertu de la Loi sur la protection de la jeunesse et de la Loi sur les jeunes contrevenants (Lois révisées du Canada (1985), chapitre Y-1) ainsi qu'en matière de placement d'enfants, de médiation familiale, d'expertise à la Cour supérieure sur la garde d'enfants, d'adoption et de recherche des antécédents biologiques.*
>
> *A cette fin, l'établissement qui exploite un tel centre s'assure que les besoins des personnes qui requièrent de tels services soient évalués et que les services requis par elles-mêmes ou par leur famille leur soient offerts soit directement, soit par les centres, les organismes ou les personnes les plus aptes à leur venir en aide.»*

. *La mission d'un Centre de réadaptation pour jeunes en difficulté d'adaptation et d'un centre de réadaptation pour mères en difficulté d'adaptation (art.84):*

> *«La mission d'un centre de réadaptation est d'offrir des services d'adaptation ou de réadaptation et d'intégration sociale à des personnes qui, en raison de leurs déficiences physiques ou intellectuelles, de leurs difficul-*

tés d'ordre comportemental, psychosocial ou familial ou à cause de leur alcoolisme ou autre toxicomanie, requièrent de tels services de même que des services d'accompagnement et de support à l'entourage de ces personnes.

A cette fin, l'établissement qui exploite un tel centre reçoit, sur référence, les jeunes en difficulté d'adaptation et les personnes présentant une déficience et, principalement sur référence, les personnes alcooliques ou les autres personnes toxicomanes et les mères en difficulté d'adaptation; il s'assure que leurs besoins soient évalués et que les services requis leur soient offerts à l'intérieur de ses installations ou dans leur milieu de vie, à l'école, au travail ou à domicile ou, si nécessaire, s'assure qu'ils soient dirigés le plus tôt possible vers les centres, les organismes ou les personnes les plus aptes à leur venir en aide.»

. *Le Directeur de la protection de la jeunesse: une autorité sociale*

Le Directeur de la protection de la jeunesse est non seulement une autorité sociale mais également un fondé de responsabilités personnellement imputable et responsable de la situation de chaque enfant dont il a pris charge en vertu de la Loi sur la protection de la jeunesse ou de la Loi sur les jeunes contrevenants.

Dans le cadre de son mandat, Les Centres jeunesse de Montréal assume également des missions complémentaires inhérentes à son rôle et à ses responsabilités:

. *La promotion des intérêts de la clientèle desservie*

Considérant le rôle social du Directeur de la protection de la jeunesse et sa connaissance approfondie de la clientèle, Les Centres jeunesse de Montréal joue un rôle de premier plan en vue d'informer et de sensibiliser la population et ses décideurs aux besoins de ceux et celles que l'organisation dessert. Par sa position, elle joue un rôle de critique social et utilise sa crédibilité et son expertise afin de promouvoir et faciliter le développement psychosocial de la clientèle, et notamment, de prévenir la marginalisation d'enfants, de jeunes ou de mères en difficulté, de leurs parents ou de leur famille.

. *L'évaluation continue[4] des besoins sociaux et le développement de programmes adaptés.*

L'organisation ayant une vue d'ensemble sur les problématiques auxquelles est confrontée la clientèle desservie et sur le contexte fortement urbanisé et multi-ethnique de l'Ile de Montréal, il est essentiel pour elle de suivre et d'analyser les différents phénomènes ou facteurs sociaux, psychologiques, économiques et culturels qui peuvent avoir un impact sur les problèmes vécus par la clientèle, afin de connaître et de prévoir l'évolution de ses besoins et, ce faisant, d'être en mesure d'adapter ses programmes ou d'en développer de nouveaux.

. *La recherche et la formation*

Les Centres jeunesse de Montréal est un endroit privilégié pour l'enseignement et la formation pratique des futurs intervenants ainsi que pour le développement de la recherche sociale, et ce, en fonction de la variété des expertises développées, de la présence de compétences diversifiées et des interventions spécialisées effectuées. L'organisation contribue ainsi au développement et à la diffusion de la connaissance et, à ce titre, préconise l'obtention d'un statut d'institut universitaire. Déjà, des travaux sont en cours pour le développement d'un centre de recherche. Sa programmation accordera une place importante à l'étude de la violence chez les jeunes, autant de celle dont ils sont victimes que de celle qu'ils agissent, ainsi qu'à l'intervention.

Sa clientèle

Ce sont principalement des enfants et des jeunes, abandonnés ou en situation d'adoption, négligés, maltraités, abusés ou présentant de sérieux problèmes d'adaptation manifestés généralement par des troubles de comportement prenant diverses formes (v.g. délinquance, prostitution, comportement suicidaire, agirs violents) ou par de sévères troubles de la personnalité. Ce sont souvent des enfants ou des jeunes pour lesquels un signalement a été fait à la Direction de la protection de la jeunesse ou des jeunes pour lesquels une plainte a été déposée aux services policiers.

Par ailleurs, il peut s'agir aussi de parents confrontés à diverses situations: des jeunes mères seules qui éprouvent souvent des difficultés à assumer de façon autonome leur rôle de parents; des parents en instance de séparation et de divorce; des parents qui «se disputent» la garde des enfants; des adultes postulant l'adoption d'un enfant; des adultes qui recherchent leurs antécédents socio-biologiques ou qui désirent retrouver leurs parents biologiques. Ces enfants, ces femmes et ces hommes présentent des caractéristiques linguistiques et ethno-culturelles diversifiées.

Selon les statistiques du recensement de 1991, la population résidant sur l'île de Montréal qui englobe les 29 municipalités de la CUM s'élève à 1,775,871 habitants, ce qui représente 25,7% de la population québécoise et constitue la plus importante concentration démographique de la province. Le milieu montréalais possède des caractéristiques sociales, économiques et culturelles particulières qui forment la toile de fond sur laquelle apparaissent les problèmes d'adaptation sociale.

> *«Cette population se caractérise entre autres par sa grande incidence de pauvreté. On y rencontre de fortes proportions de familles démunies: en 1986, 21,5% des familles de l'île de Montréal avaient des revenus inférieurs au seuil de la pauvreté, ce qui constituait une augmentation depuis 1981 (18,6%). Or, l'augmentation des taux de chômage et la fréquentation croissante des comptoirs alimentaires permettent de croire que les taux révélés par le recensement de 1991 seront encore plus élevés. Les statistiques publiées récemment à propos des régions métropolitaines démontrent que la région de Montréal abrite la plus forte concentration de pauvreté au Canada, puisque 22% de ses habitants vivaient en 1991 sous le seuil de la pauvreté. Ce sont les familles monoparentales qui sont les plus vulnérables, parce qu'elles sont plus pauvres et plus isolées socialement; or, leur proportion dans l'ensemble des familles était, en 1991, de 18,4% sur l'île de Montréal contre 14,3% dans l'ensemble du Québec. La multiplicité des groupes ethniques résidant sur le territoire montréalais constitue une particularité de la population à desservir qui la distingue du reste de la province. Or, le visage ethnique de Montréal est une réalité mouvante, en croissance continuelle. L'immigration modifie sans cesse la carte ethnique de la population.»* (Mayer-Renaud, 1993)

Ses défis au plan professionnel

Beaucoup de choses ont été étudiées et écrites au cours des dernières années (Bouchard, Harvey, Jasmin) sur les orientations à prendre, les virages à effectuer, les objectifs à rencontrer («La politique de santé et de bien-être» et le document intitulé *«Maintenant et pour l'avenir, la jeunesse»*, du MSSS) au niveau de la jeunesse en difficulté. Ce qu'il reste à dire est à faire pour Les Centres jeunesse de Montréal. Dans la prestation des services psycho-sociaux et de réadaptation, Les Centres jeunesse de Montréal doit, au cours des prochaines années, bâtir un projet collectif à partir des acquis organisationnels et professionnels présents déjà dans les 12 centres regroupés. Il devra cependant développer et pousser plus loin ces acquis et effectuer un certain nombre de virages, afin de rendre de meilleurs services avec efficience et efficacité.

Les virages à effectuer

. *Au plan organisationnel*

D'un réseau d'établissements, nous devons passer à un véritable réseau de services intégrés à la jeunesse et à la famille en difficulté. Ceux qui interviennent dans le réseau de la santé et des services sociaux doivent se considérer comme des partenaires au service de ceux qui frappent à leur porte pour obtenir réponse à leurs besoins. En tant qu'organisation, Les Centres jeunesse de Montréal se considère comme un partenaire impliqué à part entière dans un plus grand réseau où son action est complémentaire à celle des autres. Par son organisation, Les Centres jeunesse de Montréal veut maximiser la complémentarité et la concertation entre les centres qu'il administre, tout en accroissant l'accessibilité, la continuité et la qualité des services qu'il peut rendre. La structure que s'est donné Les Centres jeunesse de Montréal en est une illustration.

L'implication de la clientèle, le respect de ses droits, la réponse à ses besoins, l'amélioration de sa qualité de vie et la volonté de lui offrir des services de qualité sont au coeur des préoccupations des membres du conseil d'administration et du personnel des Centres jeunesse de Montréal: ces objectifs constituent la référence première de toutes leurs décisions. La clientèle est au centre de l'organisation, elle est sa raison d'être et sa valeur première.

. *Au plan de l'intervention et de l'orientation des services*

. *Virage famille*

La famille constitue le premier réseau d'appartenance et d'apprentissage des enfants et des jeunes. Tout doit être fait pour maintenir l'enfant dans sa famille. Cela veut dire supporter, outiller et aider les parents à assumer et exercer leur rôle de parents dans des conditions qui ne sont pas toujours facilitantes (monoparentalité, pauvreté, chômage, isolement social). Si des efforts doivent être faits pour supporter le développement de relations harmonieuses entre les enfants, - et particulièrement les plus petits,- et leurs mères, d'autres efforts doivent aussi être consentis pour supporter et impliquer davantage les pères dans l'intervention réalisée auprès de leur enfant.

Il ne s'agit pas de maintenir à tout prix l'enfant dans sa famille, si celle-ci n'est vraiment pas adéquate, mais il faut faire tout ce qui est possible pour assurer ce maintien et reculer plus loin la frontière du possible. Cela veut dire d'apporter un support plus soutenu et plus grand encore à l'action des parents.

S'il doit y avoir retrait permanent du milieu familial pour des raisons fort graves, l'intervention doit se faire rapidement et intensivement, de telle façon que l'enfant ou le jeune puisse retrouver une nouvelle identification et une appartenance et qu'il soit lui-même investi par des adultes qui deviendront, à leur manière, de nouveaux parents.

Qui dit investissement plus grand au niveau de la famille dit nécessairement investissement plus grand dans le milieu de vie des familles.

. *Virage milieu*

Les Centres jeunesse de Montréal doit être présent là où se vivent les problèmes. Il préconise d'ailleurs un mode d'organisation de ses services qui devrait permettre à la clientèle un accès rapide à une gamme diversifiée et continue de services adaptés et offerts, le plus possible, à proximité du milieu où elle vit. Cela veut dire de développer des points de services accessibles à la clientèle sur le territoire de son CLSC ou à tout le moins avoisinant celui-ci.

Ce virage impliquera une réduction du nombre de placements des enfants et des jeunes. Si nous reconnaissons que le placement - le retrait du jeune de sa famille - peut être approprié dans certaines situations qui auront d'ailleurs avantage à être mieux balisées dans l'avenir, il comporte toutefois un certain nombre de risques. Nous savons maintenant que des enfants placés en bas âge présentent de fortes probabilités d'être replacés plus tard, et pour des périodes de plus en plus longues, avec tout ce que cette situation entraîne de brisures et de déracinements.

Le virage milieu signifie également qu'il faut mettre davantage à contribution des éléments de la société qui peuvent aider à la résolution des problèmes auxquels des enfants, des jeunes et leurs parents sont confrontés. Des solutions nouvelles doivent être trouvées pour remplacer le placement, notamment dans le cas des jeunes enfants. Tant dans ces solutions nouvelles que dans les placements, tout devra être tenté pour maintenir activement présente la famille. Autrement, il n'est pas exagéré de penser que ces enfants et ces jeunes viendront certainement grossir dans l'avenir le nombre d'itinérants. Ce virage implique également de travailler différemment.

. *Virage dans la nature même de l'intervention*

Il s'agit d'offrir le plus possible, lorsque requise, une intervention rapide, massive, précoce et concertée. Parmi la clientèle référée à notre organisation, on retrouve des situations qui peuvent s'apparenter à celles vécues dans le domaine de la santé. Si l'intervention n'est pas appropriée, les répercussions et les conséquences peuvent être dramatiques. Il ne faut pas hésiter à intervenir rapidement auprès des parents de jeunes enfants, lorsque la situation l'exige, ou auprès de jeunes qui commencent à manifester de sérieux troubles de comportement. S'il est vrai que «le temps arrange les choses», il y a des situations où le temps représente un obstacle à la résolution des problèmes. Il faut donc considérer chaque situation et offrir de façon personnalisée le bon service au bon moment.

. *Virage résultats*

La Politique de santé et bien-être social du Québec a identifié un certain nombre d'objectifs à atteindre dans le domaine de l'adaptation sociale. Certains interpellent directement Les Centres de jeunesse de Montréal:

. D'ici l'an 2002, diminuer les cas d'abus sexuel, de violence et de négligence à l'endroit des enfants, et atténuer les conséquences de ces problèmes.

. D'ici l'an 2002, réduire les troubles de comportement les plus graves chez les enfants, les adolescents et adolescentes.

. D'ici l'an 2002, diminuer la prévalence et la gravité de la délinquance.

. D'ici l'an 2002, diminuer les cas de violence faite aux femmes en milieu familial.

. D'ici l'an 2002, prévenir l'itinérance et, particulièrement à Montréal et à Québec, atténuer ses conséquences et favoriser la réinsertion sociale des itinérants.

. D'ici l'an 2002, réduire de 15% la consommation d'alcool, de 10% la consommation de médicaments psychotropes chez les personnes âgées et chez les bénéficiaires de l'aide de dernier recours, et augmenter le nombre de personnes qui ne consommeront jamais de drogues illégales.

L'ensemble des professionnels seront appelés à contribuer à l'atteinte de ces résultats. Cela veut dire identifier clairement pour Les Centres jeunesse de Montréal des objectifs à atteindre à court, à moyen et à long terme. Cela veut dire pour plusieurs professionnels apprendre à cibler davantage leur action et à travailler dans une optique nouvelle et de manière différente. L'ensemble du personnel devra donc faire preuve dans son action d'une rigueur plus grande encore.

Perspectives et finalités de son intervention

L'action des Centres jeunesse de Montréal se situe dans la perspective et du curatif et du préventif. En ce sens, Les Centres jeunesse de Montréal poursuit au plan professionnel trois grands buts:

1° Contribuer à l'amélioration de la qualité de vie des enfants et des adolescents qui éprouvent des difficultés, en vue de faire d'eux des hommes et des femmes autonomes, capables de fonctionner adéquatement au plan social et d'avoir une vie satisfaisante au plan individuel. Contribuer également à l'amélioration de la qualité de vie de leurs parents, en vue de faire de ces hommes et de ces femmes des parents davantage en mesure d'exercer le difficile métier de parents.

Cela veut dire concrètement les aider à trouver une réponse satisfaisante à leurs besoins, à résoudre leurs difficultés, les associer à toute démarche les impliquant, les responsabiliser, les supporter dans ce qu'ils vivent, les aider à développer entre eux des relations plus harmonieuses. Cela veut dire, dans plusieurs situations, supporter l'action des parents, protéger l'enfant ou le jeune et protéger la société, eu égard aux comportements de certains jeunes.

2° Contribuer à briser le transfert intergénérationnel de différentes problématiques psychosociales (maltraitance, abus, négligence), qui sont coûteuses au plan humain, social et économique. En somme, contribuer au devenir de ceux et celles qui, dans notre société, ont le statut d'enfants et d'adolescents, en n'oubliant jamais qu'ils sont aujourd'hui des enfants et des adolescents et qu'ils méritent de ce fait toute notre attention, car demain ils seront des parents d'enfants et d'adolescents. Contribuer aussi au support de l'action de ceux et celles qui exercent le dur métier de parents, et souvent dans des conditions très difficiles, car ils sont les parents de ceux et celles qui deviendront à leur tour des parents.

3° Contribuer de façon significative à l'amélioration de la santé et du bien-être de la population montréalaise. Ce but peut sembler ambitieux, mais nous prenons de plus en plus conscience du rapport qui existe entre certaines conditions psychologiques, sociales ou économiques, et la santé et le bien-être global des individus. L'intervention sociale spécialisée auprès d'enfants, de jeunes et aussi de parents, si elle est adéquate et efficace, permettra certainement d'avoir une incidence positive sur leur qualité de vie.

L'organisation des Centres jeunesse de Montréal est actuellement à définir son plan d'action: il est donc difficile pour le moment de préciser exactement comment et quand l'organisation rencontrera ces différents défis au plan professionnel. Des projets sont actuellement sur la table et les prochains mois permettront d'en mieux saisir toute la réalité.

Conclusion

Le projet de Les Centres jeunesse de Montréal représente un défi d'envergure stimulant et énergisant; nous entendons le relever en collaboration étroite avec différents partenaires, et particulièrement, en suscitant une implication active et responsable des parents.❖

Référence

Mayer-Renaud M. Thème de recherche de l'institut universitaire des Centres jeunesse de Montréal. Juin 1993. Document inédit.

Notes

1. Réforme Action, Vol. 1, no 1, février-mars 1993, p.2
2. Lise Denis, Le C.S.S.M.M., un patrimoine à transmettre et à développer, allocution prononcée dans le cadre de la séance publique d'information du C.S.S.M.M., 24 septembre 1992, pp. 9-13
3. L'expression Les Centres jeunesse de Montréal est comprise tout au long du texte dans le sens d'une unité organisationnelle. Ce faisant, l'expression est utilisée au singulier.
4. Cf. à l'expression «monitoring».

Boisvert, G., *Éclats #3* 1990

UN RENDEZ-VOUS MANQUÉ

Nous regrettons de ne pas pouvoir vous présenter le compte-rendu de l'entrevue réalisée en juin dernier avec Monsieur Camil Picard, responsable du groupe de travail "Solutions de rechange et placement d'enfants" et du dossier relatif au regroupement des centres de réadaptation au Ministère de la santé et des services sociaux.

C'est au moment d'aller sous presse et malgré nos contacts répétés, que M. Picard s'est vu interdire par ses supérieurs la publication de cette entrevue. Les motifs invoqués, qui vont de réserves formulées à propos du contenu, de critiques sur la présentation, de craintes que le texte ne crée des "malentendus" auprès des intervenants, jusqu'au retrait motivé par le changement de ministre, nous sont apparus pour le moins inconsistants: pourquoi cette volte-face du ministère qui avait d'abord donné son accord à l'entrevue?

La relecture de cet entretien ne fait pourtant rien apparaître de quelque secret d'Etat qui se trouverait divulgué, et elle ne contient pas non plus d'affirmations osées ni d'engagements excessifs. Les propos tenus se distinguent plutôt par le ton pondéré, prudent mais néanmoins clair qui est celui de M. Picard en répondant à nos questions. Et c'est peut-être là son plus grand tort: la clarté de l'échange qui portait sur la vision du ministère et la place faite dans sa réforme aux enfants de 0-5 ans, sur ses priorités dans le domaine de la prévention, sur les alternatives au placement institutionnel, le soutien aux familles d'accueil, la complémentarité et l'intégration des divers réseaux impliqués auprès des jeunes qui vivent de grandes difficultés au plan psycho-social.

Ajoutons que les thèmes avaient été soumis à l'avance à M. Picard, de manière à lui permettre de se préparer à la rencontre. Notre objectif était d'amorcer un dialogue entre intervenants et administrateurs, en apportant les questions que chacun se pose face à la réforme et à son impact sur le travail auprès des jeunes et des familles à risque. Si la volonté affirmée par le ministère de mieux orienter les politiques et de prioriser les pratiques s'adressant à cette population en difficulté, reposait sur autre chose qu'un exercice de rhétorique, ses porte-paroles ne pourraient négliger d'en discuter avec ceux et celles qui seront les agents de cette réforme: les intervenants de terrain. C'est du moins ce que nous croyions. Mais devant le veto qui nous oblige à retirer ce texte, il nous est difficile de voir dans ce geste autre chose qu'une façon d'ignorer les praticiens, en les renvoyant au silence et à l'arbitraire du système. Est-il besoin d'ajouter que cette attitude suscite bien plus que de la frustration: elle nous laisse, tout comme nos lecteurs sans doute, perplexes et inquiets devant les suites que connaîtra la réforme.

La Rédaction

P.R.I.S.M.E. automne 1993, vol. 3, no 4

Hors dossier

MISE EN PLACE DU PROCESSUS PSYCHOTHÉRAPIQUE CHEZ L'ENFANT PSYCHOTIQUE CONFUSIONNEL

Réal LAPERRIERE

L'auteur est psychologue clinicien à l'Hôpital Rivière-des-Prairies, où il a été pendant six ans responsable clinique d'une unité interne de traitement des psychoses infantiles précoces. Membre de l'Association des psychothérapeutes psychanalytiques du Québec, il travaille à la clinique de pédopsychiatrie Anjou, est consultant au Centre de réadaptation La Clairière et il exerce en cabinet privé.

«L'année prenait mauvaise tournure. Bien que ceux qui s'en rendaient compte fussent rares, la ville n'était pas la même. Il n'était pas avéré que l'ombre projetée sur le sol par les objets, le fût à leur exacte mesure. Plus encore: les ombres avaient tendance naturelle à se détacher des choses, comme si ces dernières eussent porté malheur».

Alejo Carpentier
Office des ténèbres
1944

Rappel diagnostique

Dans une publication antérieure (Laperrière, 1992), j'ai présenté l'histoire de développement et la symptomatologie typiques d'une catégorie d'enfants dont j'ai qualifié la psychopathologie «d'état psychotique confusionnel», en référence aux travaux de Bion (1957, 1959, 1983), Meltzer (1980, 1984), Rosenfeld (1976) et Tustin (1981). J'ai proposé l'idée qu'au point de vue dynamique, ces enfants se caractérisent par le recours à des mécanismes de défense spécifiques et très coûteux contre l'angoisse suscitée par une envie d'une intensité inhabituelle (comprise au sens donné par Klein, 1968) et dont la conséquence au plan interne est d'empêcher la survenue et/ou le maintien d'un clivage entre bons et mauvais objets et ainsi d'entretenir dans le psychisme une grande

Après un bref rappel de la dynamique des états psychotiques confusionnels chez l'enfant, l'auteur propose quelques éléments du cadre et de la technique pouvant favoriser chez ces enfants particulièrement difficiles à atteindre l'amorce d'un processus psychothérapeutique. Il présente brièvement la trajectoire que peut prendre le traitement et donne deux illustrations cliniques.

confusion liée entre autres à l'incapacité pour l'enfant de départager ses propres pulsions d'amour de ses pulsions de haine. Il ne peut donc procéder ni à l'édification d'un bon objet ni à celle d'un contenant psychique pour les émotions, conditions essentielles à un développement psychologique sain.

Chez ces enfants, les processus normaux d'identification projective et introjective que Bégoin-Guignard (1985) a décrits comme étant la «respiration psychique», sont gravement altérés. L'intégration progressive du moi et sa différenciation graduelle d'avec le monde objectal en sont donc perturbées. Les rapports de l'enfant avec le monde sont plutôt dominés par une identification projective pathologique, appelée par Meltzer (1984) identification intrusive, qui se traduit par un phantasme omnipotent d'introduction par la force dans l'autre de parties de soi afin de s'en débarrasser, mais aussi dans le but de posséder complètement l'objet et de le détruire de l'intérieur. L'emprise de ce phantasme sur la scène interne active chez l'enfant une confusion soi-objet ainsi qu'une vive angoisse paranoïde, liée à la peur d'un retour en soi par la force des parties projetées.

Certaines défenses spécifiques ont pour fonction d'empêcher le soi d'être totalement submergé par cette angoisse. Il s'agit de la fragmentation, du déplacement et du contrôle. Ainsi, après avoir projeté dans l'objet des parties problématiques de soi ne pouvant être contenues et aménagées par le psychisme, l'enfant, opérant une attaque contre les liens, telle que décrite par Bion (1959), fragmente celles-ci en petites entités qui sont ensuite déplacées et localisées dans des objets inanimés. Il en vient à développer une gamme impressionnante de conduites et de préoccupations obsessionnelles autour de ces objets, qui visent à assurer sur eux et sur ce qu'ils contiennent un contrôle omnipotent. La fascination pour ces objets «bizarres» (Bion, 1983) ou «confusionnels» (Tustin, 1981), s'érige peu à peu, telle une barrière étanche rendant de plus en plus difficile la communication avec les êtres humains et l'expérience du monde.

Instaurer le processus thérapeutique

Auprès de l'enfant psychotique confusionnel, la tâche première du psychothérapeute va consister à mobiliser l'attention de l'enfant qui est suspendue aux objets confusionnels afin de le ramener dans le contact transférentiel (Meltzer, 1980) de façon à pouvoir graduellement s'imposer dans son univers en tant qu'objet d'identification projective. Le thérapeute va devoir en quelque sorte démontrer à l'enfant qu'il est à même de recevoir ses identifications intrusives et de les contenir sans être détruit.

Première illustration: Fabien

Fabien est le deuxième enfant d'une famille qui comprend aussi une fille de trois ans son aînée ne présentant aucune difficulté psychologique manifeste. Né prématuré, il est hospitalisé à la naissance pendant trois semaines et au retour à la maison s'avère être un bébé très exigeant, buvant fréquemment et n'acceptant à peu près jamais d'être laissé seul dans son lit. La mère doit toujours le garder dans ses bras. Entre trois et sept mois, il souffre d'asthme du nourrisson et il est évalué pour la première fois en psychiatrie à l'âge de trois ans, en raison de ses difficultés à tolérer la frustration, de son accaparement tyrannique des parents et d'un retard important de langage. On diagnostique l'audimutité et un trouble du symbolisme. Le diagnostic de psychose ne sera posé que plus tard, vers l'âge de sept ans.

Les parents, malgré la lourdeur de la charge que leur imposent quotidiennement les difficultés de leur fils, souhaitent le garder à la maison et se mobilisent dans un combat au long cours pour obtenir des services spécialisés. Le père, un bon travailleur, a une personnalité plutôt rigide tandis que la mère semble peu satisfaite de sa vie et présente un état dépressif latent. La famille est plutôt isolée socialement.

Fabien a dix ans et demi et je le suis depuis cinq mois en psychothérapie à raison de deux séances par semaine. Auparavant, il a participé à un groupe de conte dramatisé (Laperrière, 1992) pendant deux ans.

Au cours d'une séance, il me fait part de sentiments agressifs envers ses parents qui «font dodo ensemble». Ces sentiments soulèvent beaucoup d'angoisse en lui, qu'il tente de contrôler en copiant compulsivement des séries de chiffres sur du papier.

Les deux séances suivantes sont annulées, à la toute dernière minute, en raison d'une grève dans les hôpitaux. A la séance suivante, Fabien est, contrairement à son habitude, très calme. Je lui explique brièvement les raisons de l'annulation de nos séances. Il écoute attentivement et me dit avoir été mis au courant par ses parents de la grève. Il se met ensuite à crayonner avec des feutres et me pose une série de questions:

- Il me demande mon âge et si je suis vieux;
- Il me demande si les crayons-feutres sont neufs ou vieux et m'explique tout ce qu'il faut faire pour ne pas les user;
- Il me demande à quel âge la vie s'arrête, si c'est à 103 ans, et quel est l'âge du plus vieux patient de l'hôpital (les rencontres avec Fabien ont lieu dans un hôpital).

J'interprète à Fabien son inquiétude concernant l'arrêt, un jour, de nos rencontres et l'angoisse que cette idée soulève en lui. Je lui parle ensuite de sa peur, déplacée sur les crayons-feutres, de m'avoir endommagé ou usé par les mauvaises choses qu'il a laissées dans la salle de thérapie à la dernière séance, et qui m'auraient obligé à «faire la grève». Il écoute attentivement, sans dire un mot, et termine la rencontre très calmement.

A la séance suivante, Fabien ne semble plus inquiet mais est visiblement agressif. Il se présente à la salle de thérapie en me tournant le dos et en se bouchant d'un doigt une oreille dont il frotte énergiquement le lobe avec le pouce. J'ai appris que, chez lui, cette attitude annonce généralement une attaque.

Il prend, comme à son habitude, un crayon-feutre mais en perd accidentellement le bouchon sur le plancher. Il devient rapidement paniqué et ne se calme que lorsqu'il le retrouve. Je lui dis qu'il semble avoir eu très peur d'endommager le crayon en laissant sécher le feutre. Il lance alors tous les crayons en l'air, en riant et en se montrant très excité. Il écrit ensuite des chiffres sur une feuille, puis les mots suivants: amis-bonjour-allo-dodo-hostie-papa.

Il me tend la feuille brusquement en se bouchant l'oreille et en détournant la tête. *«Lis ça!»* hurle-t-il. Je m'exécute et lorsque je lis le mot *«hostie»*, il éclate de rire. Je lui demande si ce mot, dont nous avions vu ensemble dans une séance précédente qu'il est pour lui porteur de colère, m'est adressé. Il ne répond pas mais me crie quelques secondes plus tard *«gros pourri»*. Je lui dis que je suis peut-être aujourd'hui pour lui un *«gros-pourri-hostie-Réal»* qui l'a mis en colère en lui enlevant deux séances.

Fabien se lève d'un bond et va à la fenêtre. Le ciel est sombre. Il dit en riant, excité: *«Il va y avoir un gros orage»*. Je lui formule que je crois savoir qu'il a très peur des orages, mais davantage des orages-colère qui sont à l'intérieur de lui. Il se met alors à cracher en l'air et la salive lui retombe au visage, comme de la pluie. Je lui dis qu'après avoir essayé de mettre l'orage-colère dehors, dans le ciel, il essaie maintenant de le faire sortir de lui par la bouche.

Fabien prend alors deux grilles rondes qui autrefois étaient fixées à un ventilateur, les fait tourner rapidement sur elles-mêmes et s'unit à leur mouvement en battant rapidement des mains et en s'élevant sur la pointe des pieds. Son regard semble halluciné. Je lui dis qu'au lieu de penser aux orages-colère, il essaie par des «trucs de magie» de les faire sortir par le bout de ses doigts et de les mettre dans les grilles. En même temps, en reproduisant avec les grilles qui tournent le bruit des orages, il a l'impression de devenir très fort, plus fort que les orages, d'être celui qui les provoque et les contrôle. Il se calme et vient s'asseoir à la table.

Fabien réclame alors la calculatrice de poche qu'il a déjà aperçue dans mon porte-document, et crie sur un ton d'injustice à quel point je suis chanceux de la posséder. Il me dit vouloir trouver des «gros chiffres» qu'il veut transcrire sur une feuille, et semble très excité. Je lui dis alors que plus il manie de gros chiffres, plus il a l'impression d'être lui-même gros et fort, et donc protégé de tout ce qui lui fait peur; aussi m'envie-t-il beaucoup de posséder la calculatrice contenant les gros chiffres qui protègent et de ne pas vouloir la lui donner. Fabien donne alors un coup de pied sur mon porte-document, puis se cache le visage avec ses mains. Je lui dis que ça le met en colère au point de vouloir la détruire, mais qu'il a ensuite peur que je me fâche contre lui. Il se calme, et le reste jusqu'à la fin de la séance.

L'utilisation des chiffres par Fabien va dominer nos rencontres pendant plus d'un an, jusqu'à ce qu'il découvre qu'il y a toujours un chiffre plus gros que le plus gros, et réalise progressivement l'aspect illusoire de cette défense contre un monde interne si orageux.

Le projet thérapeutique

Le projet thérapeutique auprès d'un enfant qui présente un état psychotique confusionnel ne visera pas la mise à jour de représentations refoulées ou d'affects réprimés dans le but de résoudre une conflictualité intra-psychique, mais aura comme principal objectif d'améliorer le fonctionnement mental de l'enfant. Il va s'agir d'arriver à remettre en marche la capacité de l'appareil psychique à faire des liens, à mentaliser, à contenir sur la scène interne les excitations pulsionnelles ou externes, bref, à penser. Par ses interprétations, le thérapeute va aider l'enfant à prendre conscience des défenses auxquelles il a recours (attaque contre les liens, déni, projection, déplacement, fragmentation, contrôle, évacuation par l'agir) en tentant de reconstituer le contexte ayant nécessité leur utilisation. Il s'agit donc essentiellement d'un travail de liaison.

Mais ce travail n'est pas évident. Mon expérience clinique ainsi que celle d'autres thérapeutes d'orientations diverses ont démontré la très grande difficulté qu'ont les enfants psychotiques confusionnels à profiter d'un suivi thérapeutique individuel. Le premier problème vient du fait qu'en dehors de rapports formels et utilitaires, ils n'acceptent à peu près pas de laisser place aux relations interpersonnelles dans leur vie et sont davantage en contact avec des objets inanimés.

Par ailleurs, ils sont à peu près incapables d'établir un transfert positif en raison de l'intensité de l'envie et de l'absence de clivage. Haag (1988) mentionne d'ailleurs que, pour des enfants de ce type, la situation thérapeutique peut être gravement phobogène. Les défenses mises en place sont souvent telles qu'il devient à peu près impossible d'établir un contact avec eux.

Enfin, en raison de l'attaque constante par les mécanismes psychotiques visant à empêcher que se lient entre eux les objets et les représentations pour faire sens, le thérapeute en vient à éprouver de plus en plus de difficulté à faire lui-même un travail de liaison et à maintenir en vie sa propre pensée en cours de séance.

Protéger le processus thérapeutique

Pour en arriver à ce qu'un travail thérapeutique soit possible avec des enfants si difficiles à atteindre, un cadre rigoureux doit être institué et maintenu, en raison de la pression constante, consciente ou non, qui sera exercée par de nombreux moyens sur le thérapeute pour qu'il renonce à l'approche analytique (Rosenfeld, 1976). Ce cadre servira de contenant pour les mouvements pulsionnels et les angoisses qui s'y déploieront, mais aussi de tiers permettant au thérapeute et son patient de ne pas s'engager dans une aventure folle, marquée par des débordements excessifs, de part et d'autre (Cournut, 1991). Il n'y a bien sûr pas de recette pour son instauration ni dispositif précis de maintien. Je présente ici quelques-uns des éléments du cadre que j'en suis venu à élaborer au cours des années. Aucun d'eux n'a valeur d'instruction: à chaque thérapeute incombe la responsabilité de faire les choix qui lui conviennent.

1. La destruction

Isaacs-Elmhirst (1986) suggère d'avoir des règles très fermes concernant la destruction du matériel, parce qu'un *«dommage à la propriété partagée va être vécu par le petit patient comme endommageant le corps du thérapeute»* (p.162) et donner suite à des angoisses paranoïdes très difficiles à contenir. Personnellement, j'essaie de ne jamais recevoir ces enfants dans mon bureau mais toujours dans une salle aménagée pour le jeu et qui ne contient aucun de mes effets personnels. J'ai réalisé en effet que, pour eux, la présence d'objets appartenant au thérapeute et auxquels ils n'ont pas le droit de toucher, de tiroirs de bureau qu'ils n'ont pas le droit d'ouvrir, de livres dans lesquels ils n'ont pas le droit d'écrire, constitue un véritable supplice de Tantale qui finit par les obséder. Ils en viennent inévitablement à passer à l'acte et les angoisses consécutives sont tout aussi terribles pour eux qu'inutiles. De la même façon, j'élimine tout matériel trop «tentant» à utiliser pour une attaque: peinture, plâtre, jouets lourds, etc. Enfin, je ne permets aucun toucher sur ma personne, même à l'intérieur d'un jeu. J'ajouterai que je n'hésite jamais à mettre prématurément fin à une séance, si les passages à l'acte sont incontrôlables.

2. L'activité psychique du thérapeute

Bion (1983) suggère que chez le psychotique - et cela me semble être le cas chez l'enfant confusionnel - ce qui devrait être une pensée devient un mauvais objet qui ne se laisse pas distinguer d'une chose en soi et qui n'est propre qu'à être évacué. Cette hypertrophie de l'identification projective a pour résultat final qu'à la place d'un appareil pour penser les pensées se développe dans le psychisme un appareil pour débarrasser la psyché d'une accumulation de mauvais objets internes.

Il va sans dire qu'en étant constamment soumis à cette évacuation de morceaux psychiques sans liens entre eux, le thérapeute en vient à éprouver de plus en plus de difficulté à faire lui-même un travail de liaison psychique pendant la séance. Pour se défendre de la confusion dans laquelle il va être plongé, il risque de réagir de différentes façons:[1]

- Il peut rapidement abandonner le traitement en déclarant l'enfant inaccessible à un travail psychothérapique, ce qui est alors le fruit d'un doute inconscient qui s'est installé en lui concernant sa capacité à disposer de bons objets internes réparateurs. Ce doute apparaît comme la conséquence de la confusion entre bons et mauvais objets réactivée par l'enfant dans le psychisme du thérapeute.

- S'il n'abandonne pas les rencontres, le thérapeute peut abandonner le travail thérapeutique en laissant se créer entre lui et l'enfant une sorte de no man's land à cause duquel, en séance, ils ne se rencontreront jamais, chacun évoluant dans des territoires étrangers et parallèles. L'enfant va se concentrer sur des activités répétitives, le thérapeute va être «ailleurs», et les séances vont se succéder en dehors de toute notion de temps, jusqu'à ce qu'elles cessent par épuisement mutuel.

- Enfin, le thérapeute peut chercher à donner un sens aux activités répétitives de l'enfant, plutôt que d'y reconnaître l'expression d'une destruction et d'une évacuation de l'activité de pensée. Comme le suggère Bégoin-Guignard (1985), le thérapeute peut prendre de l'anti-pensée pour des fantasmes inconscients, et *«s'enfermer lui-même dans un système pseudo-symbolique où ses interprétations - communiquées ou non au patient - se vident de leur sens et tournent en rond»* (p.77). Je partage l'affirmation de celle-ci selon laquelle *«il est aussi important de repérer et d'indiquer à l'analysant la part de destruction et d'évacuation du sens, que de lui interpréter le contenu symbolique avec lequel cette destruction s'entremêle éventuellement»* (1986, p.121).

Il faut bien dire toutefois que les activités répétitives des enfants confusionnels sont à la longue difficiles à supporter et peuvent provoquer chez le thérapeute une exaspération violente. Elles ont aussi parfois un effet hypnotique particulier, amenant ce dernier à succomber pour un instant à l'endormissement, au cours duquel il va avoir des pensées, des images, des phrases dont il ne saura plus à son «réveil» si elles proviennent de lui ou lui ont été dites par l'enfant. Cette confusion vécue entre son psychisme et celui du patient peut être angoissante.

En fait, le travail de pensée, de liaison, de mise en ordre par le thérapeute de la confusion ne peut souvent se faire que dans l'après coup. Une prise de notes rigoureuses après chaque séance permet de construire quelque chose de cohérent qui, éventuellement, pourra être retourné à l'enfant. La fonction de contenant du thérapeute s'exerce mieux lorsqu'il n'est plus en contact direct avec ce dernier. Il n'est évidemment pas souhaitable qu'il relise ses notes avant une séance: la tentation serait alors trop grande d'imposer un ordre pré-établi au matériel afin d'éviter de vivre la confusion projetée par l'enfant. Je ne ferai enfin que souligner la nécessité de rendre compte du travail effectué avec de tels enfants auprès d'un tiers, collègue ou contrôleur.

3. Le contre-transfert

Les enfants psychotiques confusionnels communiquent au thérapeute des émotions brutes non représentées, auxquelles il peut réagir dans son corps (j'ai parfois ressenti un impérieux besoin de dormir, au point de devoir m'allonger une quinzaine de minutes, après certaines séances avec Lucie, séances par ailleurs paisibles en apparence) ou bien tenter de greffer une représentation à une angoisse vivement ressentie. Le problème est que le contenu de cette représentation n'a de prime abord rien à voir avec le patient, et qu'il faudra beaucoup d'efforts pour en resituer le sens dans la relation à ce dernier.

Au cours de la première année du traitement de Julien, je suis devenu pendant quelques semaines anxieux en rapport avec la destruction de la couche d'ozone, la pollution, l'avenir de la planète et de ma descendance. Je lisais des articles sur le sujet, cherchant toutes les occasions d'en discuter, jusqu'à ce que je réalise l'exagération de mes préoccupations pour le sujet (mon souci de l'environnement n'ayant jamais dépassé auparavant un niveau minimal de sensibilisation). Parallèlement à cela, rien au cours des séances avec Julien ne me semblait problématique ou susceptible d'éveiller en moi de l'angoisse. Il a fallu un rêve, dans lequel je battais durement ce dernier en en ressentant un grand soulagement, pour que je refasse la liaison entre l'angoisse ressentie à propos de la destruction de la planète et ce qui se passait entre lui et moi. J'ai pu ensuite mieux comprendre ce que Julien vivait et cherchait à déposer en moi en y réactivant mes propres conflits, ainsi que mes efforts inconscients pour ne pas le laisser faire. Cet épisode est d'après moi l'un de ceux, fréquents dans le traitement des enfants psychotiques, où le thérapeute est «transformé par la projection» et «incapable de fonctionner utilement» comme mère ou analyste (Rosenfeld, 1990, p.203). Seul, un travail de transformation de la projection par l'élaboration peut permettre à ce dernier de retrouver sa fonction thérapeutique auprès du patient.

4. L'omnipotence et l'indifférenciation

En raison de la force de l'identification projective, l'enfant psychotique confusionnel ressent souvent les interventions du thérapeute comme une manoeuvre de sa part pour introduire de force en lui des objets mauvais, les équations symboliques faisant des mots des équivalents de ce qu'ils désignent. C'est pourquoi, comme le recommande Rosenfeld (1990), *«on ne doit jamais accabler le patient avec des bribes d'information et les mettre de force à l'intérieur de lui. Il faut toujours relier ce que l'on interprète en détail de façon à être pleinement compréhensible»* (p.229). Expliquer à l'enfant à partir de quoi on lui formule quelque chose aide à contrer l'illusion que nous pouvons, de façon omnipotente, lire dans sa tête comme si aucune frontière n'existait entre son psychisme et le nôtre.

A l'inverse, j'évite de favoriser chez l'enfant l'illusion qu'il me contrôle de façon toute-puissante, en maintenant de façon rigide le cadre horaire établi, et en exigeant par exemple qu'il frappe à ma porte à l'heure convenue, plutôt que de s'introduire sans avis, comme il le souhaite souvent, dans la salle de thérapie, comme si rien ne nous avait séparés depuis la dernière séance.

La trajectoire du traitement La psychothérapie auprès d'un enfant présentant un état psychotique confusionnel va donc être pendant très longtemps un patient travail de liaison. Le thérapeute va devoir centrer ses interprétations sur le transfert négatif ainsi que sur les processus de déplacement, de fragmentation et de contrôle par lesquels, comme le dit Meltzer (1980), l'enfant entretient avec tant de succès les satisfactions de contrôle omnipotent.

Progressivement, des pensées vont pouvoir être maintenues dans le psychisme de l'enfant et le thérapeute va devenir un objet dans l'univers de ce dernier. C'est alors qu'apparaîtront dans la relation à cet objet les attaques envieuses, la tyrannie qui, autrefois, avaient caractérisé la relation aux parents, ainsi que les confusions vécues sur la scène interne (entre bons et mauvais objets, entre soi et l'objet, confusions géographiques dans la représentation des corps de l'enfant et du thérapeute). Le thérapeute va interpréter celles-ci comme une défense contre la prise de conscience de la séparation entre soi et l'objet et des angoisses qui en découlent, dont celles liées à l'émergence de l'envie. Rosenfeld (1990) mentionne que *«plus un patient est envieux, plus il lui est difficile de faire face à la séparation et d'abandonner les relations d'objet narcissiques omnipotentes»* (p. 34). Il définit celles-ci comme étant *«la manière dont les patients psychotiques utilisent les autres (les objets) en tant que contenants dans lesquels, se sentant tout-puissants, ils projettent les parties d'eux-mêmes qu'ils ressentent indésirables ou qui leur causent souffrance et angoisse.»* (p. 33) Ce mode de relation sert également au déni de la réalité psychique.

J'ai constaté qu'aucun des enfants psychotiques confusionnels que j'ai suivis n'avaient de difficulté à dormir et qu'ils n'étaient jamais réveillés par des cauchemars, du moins avant qu'ils ne soient suivis en psychothérapie. Cette observation mériterait de faire l'objet d'une étude approfondie. Je risquerai toutefois une hypothèse: lorsque le rêve, éveillé ou nocturne, se manifeste chez l'enfant, c'est que ce dernier est sur la voie d'une meilleure différenciation entre soi et objet, entre réalité interne et externe, et que des clivages organisateurs commencent à opérer sur la scène psychique. Alors seulement peuvent se développer entre lui et le thérapeute des phénomènes de nature transitionnelle, c'est-à-dire de jeu (Winnicott, 1975).

Deuxième illustration: Lucie Lucie est l'aînée d'une famille de deux enfants. Ses trois premières années de vie sont marquées par plusieurs hospitalisations requises pour diverses interventions chirurgicales. A l'âge de trois ans et demi, elle est référée en psychiatrie: elle ne parle presque pas, a des problèmes d'alimentation, accapare totalement sa mère, n'entre pas en contact avec les autres, ne s'intéresse qu'aux couleurs des choses et manifeste plusieurs peurs démesurées. Un retard global de développement avec traits autistiques est diagnostiqué. Les parents, perçus comme froids affectivement par les intervenants, semblent vite accepter d'avoir une enfant «handicapée» et se mobilisent pour l'éduquer, tout en entretenant (la mère surtout) l'espoir d'un «déblocage» soudain.

Au cours des premiers mois de sa psychothérapie, Lucie, 10 ans, demeurait silencieuse et passait chaque séance, concentrée, à frotter du bout des doigts un petit tablier de plastique trouvé dans la salle. Je lui interprétais cette attitude comme témoignant de sa peur de se retrouver seule avec moi et de m'accorder une existence. Lorsqu'elle en est venue à accepter de me regarder et de m'écouter, elle a développé une conduite étrange: à peine entrée dans la salle de thérapie, elle s'asseyait en tailleur et fixait, comme hypnotisée, un détail de ma veste (en général, le revers), tout en continuant de frotter son tablier avec un sourire triomphant. J'avais l'impression que si elle m'accordait une certaine existence, ce n'était qu'au prix de me réduire à un morceau de tissu sur lequel elle croyait exercer un contrôle absolu. Lorsque je lui interprétais ce geste, elle engueulait divers objets de la salle dont le poster sur le mur représentant une scène de bord de mer avec des goélands. *«Ta gueule maudit canard!» hurlait-elle. Parfois elle criait: «Je le hais, le maudit chiffre 106»*, ce dernier étant le numéro apparaissant sur la porte de la salle.

Lorsque j'ai commencé à être autre chose pour Lucie qu'un bout de vêtement ou un chiffre sur ma porte, elle est devenue terriblement tyrannique à mon endroit. Elle me donnait sans cesse des ordres, sur un ton méprisant et autoritaire, refusait que j'utilise mes propres mots pour parler, et allait jusqu'à vouloir m'imposer la position que je devais prendre sur ma chaise. Quelques minutes de retard à une séance provoquaient chez elle une rage incontrôlable. Si ma porte était fermée à son arrivée, elle y donnait de violents coups de pied, ne pouvant tolérer une seconde d'attente.

Parallèlement, elle s'est mise à exprimer beaucoup de confusion dans la relation transférentielle, confondant par exemple nos vies en dehors des séances. Elle vivait également en séance d'intenses moments d'excitation délirante pendant lesquels nos deux corps se confondaient: elle affirmait en riant de façon incontrôlable que son pipi allait sortir de mon pénis, que le lait de ses seins coulait de mon derrière, que j'allais mettre mon caca dans son vagin, etc. J'interprétais cette confusion comme une défense omnipotente contre la prise de conscience que nous étions des êtres séparés et que j'existais en dehors d'elle. Je devais aussi interpréter sa peur que j'introduise en elle des choses mauvaises.

Un jour Lucie me dit: *«Je n'aime pas ça quand je suis à la récréation, à l'école, et que tu n'es pas là»*. Je lui demande ce qu'elle fait dans ces moments, et à ma grande surprise elle me répond: *«Je me ferme les yeux, je fais un petit rêve de toi, et après ça va mieux»*.

A la séance suivante, pour la première fois, Lucie m'a demandé de jouer avec elle avec la maison de poupées.

Pour conclure

Que peut-on espérer de la psychothérapie analytique auprès d'enfants présentant un état psychotique confusionnel? Les résultats sont-ils à la mesure des efforts que nous devons faire pour établir un processus thérapeutique? Mon expérience est encore trop jeune pour que je puisse parler d'une «névrotisation» de la structure de leur personnalité, que je n'ai jusqu'à aujourd'hui pas encore observée chez les patients que j'ai moi-même suivis, mais qui a été souvent décrite dans la littérature sur la psychose infantile. Je peux toutefois témoigner d'une réelle amélioration du fonctionnement psychique de ces enfants, qui en viennent à pouvoir contenir davantage sur la scène interne leurs mouvements pulsionnels en se les représentant. Cette amélioration se manifeste d'abord par un meilleur accès à la parole et une capacité nouvelle à utiliser celle-ci pour communiquer, au détriment des évacuations par l'acte, autrefois massivement utilisées. Les parents observent habituellement chez l'enfant une meilleure tolérance à l'angoisse et à la frustration (*«il est moins explosif»*, *«on peut lui expliquer les choses et ça le calme»*, *«il peut maintenant nous dire ce qui l'inquiète, mais demander de l'aide»*, entend-on souvent) ainsi qu'un plus grand investissement de la réalité externe lié à l'abandon progressif des objets confusionnels. Le retrait omnipotent et le déni peuvent, de plus en plus souvent, s'estomper pour laisser place à la reconnaissance des manques, de la séparation et de la dépendance aux objets extérieurs. Si ces enfants demeurent fragiles, rigides et obsessionnalisés, ils semblent désormais prendre le risque de vivre parmi et avec les êtres humains.

Le temps est long avant qu'un enfant qui présente un état psychotique confusionnel puisse commencer à jouer et à rêver, et n'ait plus le besoin absolu de s'accrocher à des objets inanimés sans signification. Comme le disait Alejo Carpentier, *«il faut auparavant, que les ombres cessent d'avoir tendance à se détacher des choses», comme si ces dernières eussent porté malheur.* ❖

After a brief recall of the dynamics of psychotic confusional states in children, the author proposes certain elements concerning the setting and the techniques which can promote, for these particularly difficult children, access to the start of a psychotherapeutic process. He briefly presents the course which the treatment can take and gives two clinical illustrations.

Références

Begoin-Guignard F. Limites et lieux de la psychose et de l'interprétation: essai sur l'identification projective. **Topique** 1985;35-36:173-184.

Begoin-Guignard F. Cadre et contre-transfert en psychanalyse d'enfant. **J Psychanal Enfant** 1986;2:111-131.

Bion WR. The differenciation of the psychotic from the non-psychotic part of the personality. **Int J Psychoanal** 1957;38(3-4):266-275.

Bion WR. Attacks on linking. **Int J Psychoanal** 1959;40(5-6):308-315.

Bion WR. **Réflexion faite**. Paris: Presses universitaires de France, 1983.

Carpentier A. **Guerre du temps et autres nouvelles**. Paris: Gallimard, 1989.

Cournut J. **L'ordinaire de la passion: névroses du trop, névroses du vide.** (Le Fil rouge) Paris: Presses universitaires de France, 1991.

Haag G. La psychanalyse des enfants psychotiques: quelques problèmes techniques et leurs rapports avec les données actuelles de l'investigation. **J Psychanal Enfant** 1988;5:185-204.

Isaacs-Elmhirst S. Le cadre kleinien en psychanalyse d'enfant. **J Psychanal Enfant** 1986;2:148-163.

Klein M. **Envie et gratitude**. Paris: Gallimard, 1968.

Laperrière R. Etats psychotiques confusionnels chez l'enfant de 7 à 12 ans: propositions dynamiques et thérapeutiques. **Neuropsychiat Enfance Adol** 1992;40:284-291.

Meltzer D, Milana G, Maiello S, Petrelli D. La distinction entre les concepts d'identification projective (Klein) et de contenant-contenu (Bion). **Rev Fr Psychanal** 1984;48(2):551-569.

Meltzer D, Bremmer J, Hoxter S, Weddel D, Wittenberg I. **Explorations dans le monde de l'autisme**. Paris: Payot, 1980.

Rosenfeld HA. **Etats psychotiques**. Paris: Presses universitaires de France, 1976.

Rosenfeld HA. **Impasse et interprétation**. Paris: Presses universitaires de France, 1990.

Tustin F. **Les états autistiques chez l'enfant**. Paris: Seuil, 1986.

Winnicott DW. **Jeu et réalité: l'espace potentiel**. Paris: Gallimard, 1975.

Note

1. Il existe évidemment plusieurs autres réactions possibles. Je ne mentionne que celles que j'ai moi-même expérimentées ou qui m'ont été communiquées par des thérapeutes en supervision.

Normand CARREY, Sheik HOSENBOCUS
psychiatres

Le rôle des inhibiteurs du re-captage de la sérotonine en pédopsychiatrie

Les inhibiteurs du re-captage de la sérotonine (IRS) sont très bien connus dans le traitement de la dépression chez les adultes. Ces agents comprennent le fluoxetine (prozac), le fluvoxamine (luvox), le sertraline (zoloft) et le paroxetine (paxil). Leur introduction en pédopsychiatrie est nouvelle et, jusqu'à présent, leur utilisation s'est limitée au traitement de la dépression chez les adolescents.

Au cours des deux dernières années, certains cliniciens ont tenté de traiter des enfants atteints de troubles déficitaires de l'attention avec les IRS, en employant cet agent thérapeutique, soit seul ou combiné au ritalin. Barrickman (1991) a traité 19 enfants et adolescents souffrant de TDAH avec le prozac et il a constaté une amélioration significative des symptômes dans 60% des cas après seulement six semaines d'administration de la médication qui n'a par ailleurs entraîné que très peu d'effets secondaires. L'amélioration de l'humeur et de l'irritabilité était particulièrement notable; par contre, les changements au niveau de l'attention et de la concentration étaient moins évidents.

Plus récemment, Gammon et Brown (1993) ont utilisé une combinaison de ritalin et de prozac dans le cas d'enfants chez qui les troubles de l'attention avec hyperactivité étaient accompagnés de conditions co-morbides telles qu'un état dépressif ou des troubles de conduite. Après huit semaines de traitement, ils ont noté une amélioration clinique chez 30 des 32 sujets traités. Le prozac avait été prescrit à un dosage de départ de 2.5mg pour les enfants et 5mg pour les adolescents, et fut augmenté par paliers tous les 3 et 4 jours jusqu'à obtention de l'effet thérapeutique, mais sans jamais dépasser 20mg par jour. Les parents ont observé que leurs enfants étaient plus calmes et sereins, surtout le matin et dans la soirée.

Au cours de la dernière année, nous avons voulu vérifier si le luvox pouvait avoir des effets bénéfiques dans le traitement des enfants avec TDAH. Notre recherche visait à trouver un médicament qui n'entraîne pas les effets secondaires connus avec le ritalin. Nous avions aussi remarqué que, dans plusieurs cas, le ritalin perdait de son efficacité après un certain temps et ne contrôlait plus l'agressivité ou l'irritabilité chez l'enfant. Nous croyions par contre que le luvox était un agent susceptible de répondre à tous les critères requis dans le traitement du TDAH.*

B.C. est un garçon de 7 ans qui reçoit du ritalin SR à un dosage de 20mg par jour. Bien qu'un certain contrôle des comportements de l'enfant ait été obtenu à l'école, les parents demandèrent une consultation, en raison de ses accès de colère envers eux ou contre son frère cadet. Les crises pouvaient durer de deux à trois heures et le père se sentait particulièrement à bout. La mère était elle aussi épuisée par la surveillance qu'elle devait exercer sans arrêt sur l'enfant, en plus d'avoir à s'interposer constamment entre le père et lui.

Le luvox fut alors ajouté à sa prescription de ritalin, à raison de 12.5mg le matin, dose qui fut augmentée par paliers de 12.5mg chaque semaine jusqu'à un maximum de 75mg par jour. Après deux semaines de traitement, les parents remarquèrent que l'enfant était plus calme à la maison et que ses crises étaient moins fréquentes. Malheureusement, le professeur s'aperçut que l'enfant était apathique en classe. Il partagea son inquiétude avec les parents qui, sous la pression, cessèrent le luvox sans consulter le médecin traitant. L'enfant continua néanmoins de prendre son ritalin.

Au cours de la même période, le père se mit à soupçonner qu'il pouvait lui-même souffrir de TDAH, en se reportant au tableau clinique présenté par son fils. Il avait souffert des mêmes symptômes durant son enfance et il les reconnaissait maintenant dans sa vie d'adulte. Il prit subrepticement un comprimé du ritalin prescrit à son fils et il obtint un soulagement immédiat (meilleure concentration, meilleure capacité d'achever ce qu'il avait commencé, etc.).

Encouragé par ces résultats, il demanda au médecin traitant de son fils de lui prescrire en bonne et due forme du ritalin qu'il prit tout en essayant de tenir compte de ses heures de travail comme chauffeur d'autobus. Il avait cependant beaucoup de peine à ajuster l'effet du médicament avec les moments où il en aurait eu davantage besoin. Le médecin le convainquit alors de cesser le ritalin et d'essayer le luvox. Il obtint un soulagement dès la première semaine de traitement, et après deux mois de cette médication à raison de 150mg par jour, il dit préférer l'effet du luvox à celui du ritalin. Il se sent plus calme et est beaucoup plus patient avec son fils. Son épouse a aussi remarqué que, malgré qu'il ne soit pas aussi organisé que lorsqu'il prenait du ritalin, il est plus calme et plus efficace dans la planification à long terme de ses activités.

Encouragés par ces résultats, les parents consentirent alors à ce que leur fils soit traité avec le luvox seul (50mg le matin) au cours des vacances d'été. Depuis ce temps, ils trouvent que leur fils a regagné sa bonne humeur, qu'il avait perdue pendant son traitement au ritalin, et son sommeil est également meilleur. Les crises de colère persistent mais elles sont plus tolérables; au lieu de durer deux heures, elles se terminent après une dizaine de minutes. Cette amélioration dans l'état de l'enfant s'est maintenue et dure depuis maintenant deux mois.

D.G. a montré des symptômes de TDAH **dès l'âge de quatre ans**, symptômes qui ont cependant pu être contrôlés par un encadrement ferme jusqu'à l'entrée de l'enfant en première année scolaire. A ce moment, le manque d'attention et l'agressivité de D. envers ses pairs devinrent problématiques. La pémoline fut prescrite à raison de 18.75mg le matin, mais une semaine plus tard, il commença à faire de l'insomnie, ce qui obligea à réduire la dose à un quart de comprimé (9.37mg). La mère cessa cependant le médicament, à cause de l'agitation et de l'insomnie persistante chez l'enfant. On le mit alors au ritalin, à raison de 10mg le matin et 10mg au dîner, et l'enfant répondit très bien à ce régime jusqu'à la fin de l'année scolaire.

L'année suivante, le traitement au ritalin à longue action fut repris, à raison de 20mg chaque matin. Les résultats s'avérèrent bons pendant trois mois, mais les professeurs remarquèrent ensuite que le médicament n'était plus efficace le matin. La mère s'aperçut aussi que l'enfant avait peu d'appétit et que ses problèmes d'insomnie étaient réapparus. Le ritalin fut cessé et le luvox introduit, d'abord à raison de 12.5mg, puis augmenté à 25mg.

Malgré une amélioration rapportée par la mère mais qui ne dura qu'un mois, l'agressivité persistait toujours. Le dosage fut alors augmenté à 50mg, puis 75mg et finalement à 100mg par jour. Malgré cette haute posologie, le trouble d'attention persistait toujours, de même que l'impulsivité. Le luvox fut réduit à 50mg par jour et le ritalin fut alors réintroduit à raison de 10mg le matin et 5mg l'après-midi. Avec cette médication combinée, l'enfant est devenu plus calme; il dort bien et a retrouvé un bon appétit. Cet état persiste depuis deux mois.

W.K. fut évalué à l'âge de 7 ans à cause de problèmes importants de concentration et de ses comportements d'opposition. Une prescription de pémoline (37.5mg) entraîna une nette amélioration de son comportement et de sa concentration, mais l'enfant se mit à souffrir d'insomnie. Même en diminuant le dosage et en administrant la médication tôt le matin, l'insomnie persistait toujours. On cessa alors la pémoline pour donner du luvox, au début, à raison de 12.5mg, dosage qui fut augmenté jusqu'à 75 mg à l'heure du souper. A ce dosage, l'agressivité de W. diminua et on remarqua chez lui une meilleure concentration. Selon le dernier rapport médical, l'amélioration dans l'état de l'enfant est restée stable au cours des trois derniers mois.

Ces trois cas illustrent très bien les avantages mais aussi les dilemmes associés au traitement du TDAH avec les IRS. Ces agents n'entraînent pas les effets secondaires reprochés aux psycho-stimulants, i.e. qu'ils ne causent pas d'insomnie ou d'anorexie, et leur longue demi-vie plasmatique empêche l'effet de rebond physiologique associé surtout au ritalin de courte durée. Les enfants sont en général de meilleure humeur. Cependant, le champ d'action des IRS par rapport aux troubles de concentration n'est pas aussi efficace, tel que notés par Barrickman dans son étude et par le père dans le cas de B.C.. Nos impressions préliminaires nous indiquent donc que ces agents (prozac et luvox) donnent de meilleurs résultats lorsqu'ils sont combinés avec un psychostimulant et, dans certains cas plus rares, lorsqu'ils sont administrés seuls.

Notre prochaine chronique portera sur le rôle des anti-dépresseurs dans la clinique avec les enfants. Nous invitons les lecteurs à partager leurs expériences et à nous adresser leurs questions et commentaires dont nous ferons état dans une prochaine chronique.

Le courrier doit être adressé:

Département de psychiatrie
Hôpital Royal d'Ottawa
1145, avenue Carling
Ottawa, Ontario K1Z 7K4

***

Références

Barrickman L, Noyes R, Kuperman S. et al. Treatment of ADHD with Fluoxetine: A Preliminary Trial. J. Am. Acad. of Ch. & Adol. Psychiat, 1991; 30,5:762-767.

Gammon G, & Brown T. Fluoxetine and Methylphenidate in Combination for Treatment of Attention Deficit Disorder and Comorbid Depressive Disorder. J. of Ch. and Adol. Psychopharm. 1993, 3, 1:1-10.

* Nous tenons à remercier le docteur Will Winzer, omnipraticien à Orleans, de son assistance dans la sélection des vignettes cliniques.

1987 **Journée sur le placement familial I - II**
I = 117 minutes
II = 120 minutes
Montréal: Hôpital Sainte-Justine[1]

Le docteur Myriam David est une spécialiste reconnue de l'approche auprès du jeune enfant et des troubles spécifiquement liés à la carence relationnelle. La première conférence a pour thème les indications et contre-indications du placement familial d'enfants ou d'adolescents.

La deuxième traite des modalités d'application du placement familial. On parle de la prise de décision, du suivi et des conséquences à court et à long terme d'une telle intervention.

1987 **Placement familial et les travailleurs sociaux (Le) I - II - III**
Audiocassettes
I - 120 minutes
II - 120 minutes
III - 15 minutes
Montréal: Hôpital Sainte-Justine[2]

Conférences données par Myriam David à l'intention des travailleurs sociaux sur les indications et contre-indications du placement familial et des modalités d'application liées à cette profession.

1986 **Changer de famille: le placement familial thérapeutique**
26 minutes
Montréal: Hôpital Rivière-des-Prairies
Centre de communication en santé mentale[2]

À l'aide d'entrevues avec des cliniciens et d'illustrations cliniques, ce document présente le pourquoi du placement, l'importance du comité de placement, le choix des familles d'accueil, le séjour en famille d'accueil et le suivi lors du placement et après. On souligne tout au long de la vidéo l'importance de la stabilité et de la continuité pour en arriver à une réussite thérapeutique.

1988 **Faut-il laisser un enfant «maltraité» avec ses parents ou le placer dans une famille d'accueil?**
55 minutes
Montréal: Radio-Québec[3]

Le placement en famille d'accueil signifie-t-il le meilleur placement? Faut-il tout faire pour maintenir les enfants dans leur vraie famille? Que décideraient-ils, s'ils avaient le choix? Voilà les questions auxquelles répondent les invités.

1985 **Les centres d'accueil**
26 minutes
Montréal: Les Productions du Verseau[4]

Plus de 5000 enfants et adolescents pris en charge par l'État sont placés dans différents centres d'accueil pour jeunes au Québec. Une partie importante de ces enfants et adolescents sont orientés vers ce type de ressource pour leur propre protection. Parce qu'ils ne peuvent retourner dans leur famille; parce qu'ils n'ont plus de famille; parce qu'on ne peut trouver de ressource plus adéquate telle une famille d'accueil ou encore parce qu'ils démontrent des troubles de comportement requérant une intervention spécialisée. Quel est le sort de ces enfants? Doit-on repenser certaines formes d'intervention? Cette émission présente un type de ressource souvent mal perçue, tant par les jeunes que par les «professionnels» et la population en général.

1985 **Les droits des jeunes**
26 minutes
Montréal: Les Productions du Verseau[4]

Entre les textes de loi, les chartes de droits et la réalité, il y a souvent une marge que le législateur seul ne peut combler. Cette émission explore la question des droits

suite à la page 601

RISQUES ET AVANTAGES DE LA GARDERIE EN BAS ÂGE

La première vague des recherches faites sur les garderies au cours des années 60 et 70 avait montré globalement que les enfants les fréquentant se développaient aussi bien, tant au point de vue physique que mental, que les enfants élevés à la maison par leurs parents. La seule limitation de ces études, et elle est importante, résidait dans le fait qu'elles avaient été restreintes aux garderies de haute qualité, c'est-à-dire auprès d'un échantillon non représentatif de ces institutions.

La deuxième vague des recherches commença à explorer les garderies de tous les milieux en se concentrant sur l'étude de la qualité de ces dernières, alors que la troisième et dernière vague se concentra sur les caractéristiques familiales en relation avec le fonctionnement des enfants en milieu de garde. Enfin, la dernière décennie a été témoin d'une controverse lancée par Belsky sur le risque de mettre à la garderie les très jeunes enfants âgés de moins d'un an.

Une équipe du Allan Memorial de l'Université McGill, composée de A. Hausfather, A. Toharia, C. LaRoche et F. Engelsmann, et soutenue par le Conseil québécois de la recherche sociale, vient de terminer une recherche pour justement vérifier le risque identifié par Belsky. Cent cinquante-cinq familles ayant un enfant de 4 à 5 ans fréquentant une garderie acceptèrent de participer à cette recherche; elles provenaient de toutes les classes sociales et dans 80% de ces familles, les deux parents vivaient avec l'enfant. Une histoire détaillée de la «carrière» en garderie de chaque enfant, depuis sa naissance jusqu'à l'âge de 4-5 ans, révéla qu'environ 33% d'entre eux étaient entrés en garderie avant l'âge d'un an, 33% avaient été gardés en milieu familial ou à domicile par une gardienne, et enfin 33% avaient été élevés à domicile par leurs propres parents.

Les 24 garderies montréalaises qui participèrent à la recherche furent d'autre part évaluées quant à leur niveau de qualité, grâce à un instrument approprié reconnu, le «Early Childhood Environment Rating Scale» (E.C.E.R.S.). De ces 24, on laissa de côté les huit garderies qui avaient un niveau «moyen» de qualité et on garda, pour fin de comparaison statistique, les dix garderies qui avaient un niveau «inadéquat» ou «minimal» de qualité (avec un échantillon de 44 enfants) et les six garderies avec un niveau de qualité «excellent» (avec un échantillon de 51 enfants).

Les principaux résultats sont les suivants. Quand tout d'abord on compare globalement tous les enfants entrés à la garderie avant un an à tous ceux entrés après cet âge, on ne trouve aucune différence dans leur comportement, tel que mesuré à l'âge de 4-5 ans; l'âge à l'entrée n'est donc pas, en tant que tel, un facteur de risque. Cependant, quand on ajoute la variable de la qualité de la garderie dans l'équation, on trouve des différences significatives.

En effet, quand la garderie est de haute qualité, l'entrée avant un an procure un avantage démontré à 4-5 ans par une attitude plus positive de l'enfant envers ses pairs et une plus grande participation aux activités; quand, d'autre part, la garderie est de qualité inférieure, l'entrée avant un an procure un désavantage démontré par un comportement colérique et insolent. Enfin, les caractéristiques familiales ont peu d'impact sur le comportement des enfants en garderie.

Bref, cette recherche montre que le facteur de risque n'est pas l'âge d'entrée mais plutôt le niveau inférieur de qualité de la garderie. Quoique toutes les garderies du Québec soient dûment surveillées par notre gouvernement, il n'en reste pas moins que, dans un échantillon de 24 garderies participant volontairement à cette recherche (et on ne parle pas de celles qui ont refusé), 40% d'entre elles ont un niveau insuffisant de qualité: il reste sûrement place à l'amélioration.

Jean-François SAUCIER
Psychiatre

---

suite de la page 599

des enfants, les enfants maltraités en particulier, à la lumière des intentions véhiculées par les textes de loi et les chartes de droits.

1985 **L'institution comme lieu intermédiaire pour l'enfant en risque**
76 minutes
Montréal: Hôpital Sainte-Justine[1]

Discussion avec le Docteur Pluto sur comment l'institution peut être un lieu de protection pour des enfants en risque. Le Docteur Pluto nous parle de son lieu de travail, de son équipe et de tout ce qui touche la dynamique de l'institution.

1979 **Un placement en foyer thérapeutique**
60 minutes
Montréal: Hôpital Sainte-Justine[1]

Parallèle entre deux entrevues: une mère nourricière et un enfant placé en foyer thérapeutique depuis cinq ans. Témoignage sur l'évolution et les difficultés du placement. Support de l'équipe de soins.

1983 **Loczy ou le maternage insolite**
60 minutes
Montréal: Hôpital Sainte-Justine[1]

Présentation du vécu de l'enfant dans une institution de garderie hongroise appelée Loczy. On y découvre la situation de l'enfant par rapport à la famille puis sa vie quotidienne et ses contacts avec les adultes travaillant auprès de lui.

Gaëtan PERRON
audiovidéothèque
Hôpital Sainte-Justine

Céline BARBEAU
CECOM

Distribution

1. Audiovidéothèque, Hôpital Sainte-Justine tél.: (514) 345-4677
2. CECOM, Hôpital Rivière-des-Prairies tél.: (514) 328-3503
3. Radio-Québec, tél.: 1-800-361-4522
4. Ministère des Communications tél.: (418) 643-5168

GUIDE À L'INTENTION DES AUTEURS

Aux auteurs dont la langue maternelle est autre que le français, la rédaction offre un service de révision linguistique pour faciliter l'édition de leurs textes en français, sans pouvoir cependant traduire des textes entiers pour l'instant.

Le manuscrit doit être concis et rédigé en français dans un style compréhensible, dactylographié à double interligne et ne pas excéder 10 pages. Les parties moins importantes du texte seront marquées.

Le manuscrit sera soumis anonymement à trois membres du comité de lecture pour arbitrage. Les détails de révision seront communiqués à l'auteur. L'auteur doit garder une copie de son manuscrit et envoyer trois exemplaires à la revue.

Les tableaux, figures et illustrations doivent être conçus de manière à être intelligibles avec emplacement dans le texte. Ils doivent être produits sur des pages séparées. Pour les références , on se reportera aux références dans la revue. Si présenté sur traitement de texte (Word Perfect 5.0 ou 5.1 IBM; Word MacIntosh), pas de tabulation, pas de retour de chariot et ne pas faire de mise en pages. Introduction et revue de littérature, matériel et méthodologie, résultats et discussions : un sommaire de moins de 100 mots doit être fourni et traduit en anglais. Une brève note sur l'auteur permettant de connaître sa profession, son champ d'activité et ses intérêts est souhaitée.

La revue fera l'annonce d'événements scientifiques à venir s'ils nous sont communiqués au moins trois mois avant la date de l'événement.

Pour information: Denise Marchand,
tél.: (514) 345-4695 poste 5701

Règles à suivre pour la rédaction et la normalisation des références[1]

1. L'exactitude des références demeure la responsabilité de l'auteur.
2. Les références doivent être vérifiées par les auteurs d'après les documents originaux.
3. Les auteurs doivent s'assurer que toutes les références sont citées dans le texte.
4. Les abréviations des noms de revues doivent être conformes à l'usage reconnu par **Index Medicus**.
5. On peut citer les noms de trois auteurs, suivis de «et al» dans le cas où il y en a plus de trois.
6. Utiliser les formulations en vous reportant aux exemples qui suivent:

Articles de revue

Fraiberg S, Adelson E, Shapiro V. Ghosts in the nursery: a psychoanalytic approach to the problems of impaired infant-mother relationships. **J Am Acad Child Psychiatry** 1975;14:387-421.

Diorio G. Les enfants victimes de maltraitance: une étude clinique. **P.R.I.S.M.E.** 1992;3(1):32-39.

Livres et autres monographies

Barker P. **Basic child psychiatry**. 2nd ed. Baltimore: University Park Press, 1976.

Saucier JF, Houde L, Eds. **Prévention psychosociale pour l'enfance et l'adolescence**. Montréal: Presses de l'Université de Montréal, 1990.

Chapitre d'un livre ou d'une monographie

Anders TF. Sleep disorders: infancy through adolescence. In: Wiener JM, Ed. **Textbook of child & adolescent psychiatry**. Washington: American Psychiatric Press, 1991: 405-415.

[1] Ces normes sont tirées de:
Exigences uniformes pour les manuscrits présentés aux revues biomédicales.
Can Med Assoc J 1992;146(6):871-878.

Objectifs et champ d'intéret

P.R.I.S.M.E. vise la promotion de la théorie, de la recherche et de la pratique clinique en psychiatrie et en santé mentale de l'enfant et de l'adolescent, incluant toutes les disciplines afférentes, par la publication en langue française, de textes originaux portant sur le développement, sur ses troubles, sur la psychopathologie et sur les approches biopsychosociales déployées dans ce champ. L'apport grandissant de nombreuses disciplines connexes aux progrès réalisés en pédopsychiatrie et en psychologie du développement incite la revue à encourager les contributions des membres de ces diverses spécialités.

Chaque numéro comprend un dossier sur un thème d'intérêt regroupant des textes abordant divers aspects de la question. Il pourra être élaboré par l'équipe de rédaction ou par un groupe particulièrement intéressé à un sujet donné agissant à titre d'éditeur invité avec le support technique de l'équipe.

Les textes doivent présenter une qualité autorisant leur présentation à un public constitué d'intervenants, de cliniciens, d'enseignants, d'étudiants universitaires et de chercheurs. Ils pourront prendre l'une ou l'autre des formes suivantes:

Les articles ^soumis doivent apporter une contribution originale aux connaissances empiriques, à la compréhension théorique du sujet abordé ou au développement de la recherche clinique. Les revues de littérature passeront en revue un important champ d'intérêt en santé mentale de l'enfant et de l'adolescent ou des interventions spécialisées auprès des enfants et de leurs familles. Les présentations de cas couvriront des questions cliniques importantes ou innovatrices sur le plan du diagnostic, du traitement, de la méthodologie ou de l'approche. Les rapports de recherches présenteront de façon aussi concise que possible la recherche effectuée incluant des références et un minimun d'informations sous forme de tableaux et de figures. Le courrier des lecteurs est consacré aux discussions à partir de textes préalablement publiés dans la revue. Les auteurs auront droit de réponse. Des présentations d'intérêts faites dans le cadre de colloques ou journées d'études pourront être publiées. Les personnes ayant produit un document vidéo portant sur la santé mentale de l'enfant ou les domaines voisins sont invitées à faire parvenir une brève description. Les personnes engagées dans une activité de recherche en psychiatrie de l'enfant, en psychologie du développement et dans des disciplines connexes , sont invitées à communiquer à la revue un aperçu d'une recherche en cours ou récemment achevée.

P.R.I.S.M.E.
Service des publications
Hôpital Sainte-Justine
3175 chemin de la Côte Sainte-Catherine
Montréal, Québec,
H3T 1C5